bernard mouralis

individu et collectivité
dans le roman négro-africain d'expression française

ANNALES DE L'UNIVERSITÉ D'ABIDJAN - SÉRIE D - LETTRES 1969 - TOME 2

LITTÉRATURE

PQ
3984
.M6

INTRODUCTION

Au milieu des bouleversements qui ont affecté l'Afrique depuis un demi-siècle, est née une littérature de langue française dont personne aujourd'hui ne peut plus contester l'originalité et les caractères particuliers, qui ne permettent pas de la rattacher aux littératures occidentales. L'histoire de ce mouvement littéraire a été étudié notamment par Mme L. Kesteloot dans sa thèse *Les écrivains noirs de langue française*, Claude Wauthier dans *L'Afrique des Africains*, Janheinz Jahn dans le chapitre VII de *Muntu* et Robert Pageard dans *Littérature négro-africaine*. En revanche, les genres littéraires et les thèmes l'ont été beaucoup moins. On s'est surtout intéressé à la poésie et aux différents aspects qu'elle présente de la négritude. Cependant les changements qui ont marqué si profondément l'Afrique n'ont pas eu pour seule conséquence la découverte par les Africains de la « personnalité négro-africaine » ; ils ont entraîné, sur le plan social, une modification des anciennes collectivités et des rapports qui existaient traditionnellement entre l'individu et celles-ci. C'est pourquoi nous avons pensé que ce phénomène devait constituer un thème essentiel pour l'écrivain africain, en rapport étroit avec l'expérience vécue par ce dernier, et nous nous sommes proposé d'étudier ce que le roman d'expression française nous révèle de cette évolution et de quelle manière il nous la présente.

Nous avons estimé que notre travail devait uniquement porter sur le roman négro-africain et laisser de côté la poésie. Bien que le mouvement littéraire ait commencé par elle, le roman s'est très vite affirmé — souvent par des œuvres de qualité — et nous constatons aujourd'hui des différences notables entre le contenu de la poésie et celui du roman. Alors que ce dernier se propose surtout de décrire des situations moyennes, la poésie crée des mythes, en usant d'une technique qui lui est propre. Il serait donc abusif, selon nous, de vouloir utiliser indifféremment les données de l'un ou l'autre genre.

D'autre part, il nous a paru nécessaire de nous limiter aux seuls romanciers négro-africains d'expression française. Ce n'est en effet que dans le cadre d'une étude portant sur l'histoire de la littérature néo-africaine qu'on peut réunir les écrivains noirs francophones et anglophones d'Amérique, des Antilles et de Madagascar. Dès qu'on aborde les thèmes littéraires, il faut s'en tenir à des domaines présentant, par leurs caractères spécifiques, une profonde unité. Les liens encore puissants, qui rattachent en Afrique noire l'individu au groupe, n'existent pas au même degré à Madagascar, zone d'influence asiatique ni aux Antilles, où l'individu, depuis longtemps « prolétarisé » vit dans une collectivité plus spirituelle que matérielle.

Après avoir évoqué les différentes formes de la collectivité d'après le roman : collectivités du passé, collectivité traditionnelle d'aujourd'hui, collectivité urbaine en Afrique et en Europe, nous rappellerons les principaux aspects sous lesquels apparaît l'individu. Ce double inventaire nous amènera ensuite à définir les problèmes propres aux romanciers négro-africains dans la peinture de la réalité africaine.

Notre information repose essentiellement sur l'étude des romans. D'abord par souci d'objectivité — on verra, par exemple, qu'il existe souvent de grandes différences entre les données du roman et les conceptions des théoriciens, notamment à propos de la négritude — ; ensuite parce que les études que nous possédons aujourd'hui sont surtout historiques et que les comptes rendus de romans parus dans les revues sont la plupart du temps ou trop élogieux ou polémiques.

Conscient des dangers que peut présenter l'interférence d'une étude littéraire avec la sociologie[1], nous n'avons utilisé les indications de celle-ci que pour pouvoir les comparer avec le contenu des romans. Nous nous sommes ainsi efforcé de rester sur le plan littéraire et de ne pas voir dans le roman autre chose que ce qu'il est, c'est-à-dire la traduction d'une réalité selon un mode artistique. Nous nous sommes souvenu en particulier que les données d'une œuvre d'art nous renseignent en définitive plus sur son auteur que sur le milieu qu'elle prétend « décrire ». Aussi, notre attention a-t-elle été particulièrement retenue par la fréquence de quelques thèmes, la structure des œuvres, certains aspects stylistiques très révélateurs des difficultés auxquelles se heurte le romancier et qu'il n'avoue pas toujours.

C'est dans cet esprit que nous étudierons successivement, en nous fondant essentiellement sur le roman négro-africain d'expression française, le tableau qu'il nous trace de la collectivité, de l'individu et les problèmes qui en résultent pour le romancier. Nous espérons ainsi démontrer que malgré l'ambiguïté inhérente aux conditions dans lesquelles il est né, le roman négro-africain tend à devenir lui aussi un genre à part, capable comme la poésie d'exprimer en un style qui lui est propre un univers spécifiquement africain, mais plus apte qu'elle à traduire l'expérience concrète du vécu et les situations moyennes.

---

1. Voir notre appendice I.

CHAPITRE PREMIER

LES DIFFÉRENTES FORMES DE LA COLLECTIVITÉ D'APRÈS LE ROMAN

I. — LES COLLECTIVITÉS DU PASSÉ.

La première constatation qui s'impose à l'esprit lorsqu'on examine l'ensemble de la production romanesque des auteurs africains d'expression française, c'est la grande variété des milieux décrits. Tous les pays francophones d'Afrique noire se trouvent en effet représentés au moins par un romancier. On trouvera donc dans le roman non seulement une peinture de la collectivité traditionnelle — essentiellement agricole — dans différentes régions, mais aussi une description des nouvelles formes que peut revêtir la collectivité africaine dans les villes et même en Europe. Mais avant d'étudier les aspects actuels de la collectivité — qu'elle soit traditionnelle ou de formation récente —, il convient d'examiner les anciennes collectivités — aujourd'hui disparues — reconstituées fréquemment, dans des sortes de fresques historiques, par les romanciers ou les conteurs.

La première grande reconstitution historique fut *Doguicimi* de Paul Hazoumé, publié en 1938, long roman auquel l'auteur avait consacré plus de vingt-cinq ans de travail. L'intention du romancier était nettement exprimée dans la préface : « Cet ouvrage, qui traite des mœurs et coutumes de l'ancien royaume du Dahomey, est une ébauche de peinture d'une race conquérante à un tournant de l'histoire de ses guerres, de ses trafics et sacrifices humains qui lui avaient fait, dans le monde civilisé, une triste célébrité de barbarie.

» A travers la fiction romanesque créée pour divertir, durant de longues pérégrinations dans le passé de cette race, on verra ses profondes qualités et le vrai visage de la cour de ses rois, malgré les crimes auxquels un moment d'égarement et aussi la cupidité des Négriers l'avaient poussée »[1].

1. *Doguicimi*, p. 13.

Paul Hazoumé nous décrit un épisode de l'histoire du Dahomey dans la première moitié du XIXe siècle. La majeure partie de l'action se passe dans la capitale du royaume, « Agbomê ». Le livre retrace la lutte de deux peuples : les Danhomênous et les Mahinous et l'épisode principal du roman est l'histoire de l'héroïque princesse Doguicimi dont l'époux est mort en captivité chez les Mahinous et qui saura demeurer fidèle à Toffa au point même de se laisser enterrer vivante dans la tombe de son mari.

La société décrite dans le roman est une collectivité qui gravite selon des rites immuables autour du roi Guézo. L'immense pouvoir de ce dernier inspire à tous les habitants du royaume un mélange de terreur et de fanatisme qui interdit la moindre liberté de pensée ou d'action. Si le roi tarde à apparaître à ses sujets, le matin, pour ces derniers prosternés dans la poussière, « le monde n'a pas encore ouvert sa porte. Et, d'être privés de la lumière du Maître de l'Aurore, l'unique astre dont la face éclairait leur vie et qui seul comptait pour eux, de ne pas jouir de la bienfaisante présence, au milieu d'eux de l'idole aux pieds de laquelle ils s'étaient empressés de venir se jeter au lever du jour, les Danhomênous se perdaient en mille conjectures qui accroissaient leur inquiétude »[1].

Un examen attentif de tous les aspects de la vie des sujets du roi Guézo révélerait la même totale absence de liberté. Mais ce qu'il faut noter c'est que dans la plupart des cas les Danhomênous acceptent leur condition, tant l'aliénation est grande. La situation de la femme est à cet égard bien caractéristique. Écoutons Doguicimi parler à son époux : « Je suis ta propriété, Seigneur, et prête à souffrir tous les supplices qu'il te plairait d'exercer sur moi afin d'oublier tes peines »[2] ou encore : « Je m'estimerais bienheureuse, si ma souffrance peut faire retrouver à mon créateur sa gaieté habituelle qui est la source de ma vie »[3]. La même soumission se retrouve chez les victimes des sacrifices humains ou chez les guerriers qu'on envoie au combat. Les amazones par exemple auront « le sabre à aimer et le Danhomê à idolâtrer »[4]. Ainsi chaque individu a un rôle nettement assigné par la Tradition et les coutumes, qu'il ne peut changer. Le roi lui-même malgré la terreur qu'il inspire reconnaît devant son fils le prince héritier, les entraves apportées à sa liberté par les usages du pays : « Enfermé dans la tradition, obsédé par la coutume dont je ne dois pas m'écarter d'un pas, sollicité aussi par mon entourage, je ne suis, le plus souvent, qu'un instrument entre de multitudes mains [sic] invisibles pour le peuple qui m'impute à tort les actes dits royaux, mais en réalité, conçus et exécutés par mes

1. *Doguicimi*, p. 31.
2. *Ibid.*, p. 70.
3. *Ibid.*, p. 71.
4. *Ibid.*, p. 79.

Maîtres secrets »[1]. Et l'histoire même de Doguicimi nous montre jusqu'où va l'emprise de la collectivité et l'évolution de la jeune femme constitue en quelque sorte la leçon du roman. Au début du livre, nous voyons Doguicimi résister à la collectivité responsable, par l'intermédiaire du roi, de la mort de Toffa et aux calomnies de ses compagnes, jalouses de sa fidélité à Toffa. Elle ira même jusqu'à injurier publiquement Guézo. Mais lorsqu'elle apprendra la mort de son mari lors de la victoire des Danhomênous au cours de la guerre de revanche, sa volonté de nouveau se dissoudra dans la collectivité, et, en se faisant enterrer vivante dans la tombe de son mari, elle accepte un destin que son rang de princesse dahoméenne lui imposait en quelque sorte depuis toujours.

En 1954, Jean Malonga retraçait dans *La légende de M'Pfoumou Ma Mazono* une autre société africaine, située au Congo et vivant approximativement dans la deuxième moitié du XIXe siècle. Dans ce livre, Jean Malonga raconte l'histoire de M'Pfoumou Ma Mazono qui, né d'une mère adultère réfugiée au fond de la forêt, décide de fonder une nouvelle société où régneront l'égalité et la justice. La cité qui porte le nom de N'Tsangou abrite de nombreux esclaves évadés de chez les Bakongo et la victoire sur ces derniers consolidera définitivement N'Tsangou. Les institutions et les mœurs de la collectivité sont décrites avec beaucoup moins de précisions que dans *Doguicimi*. Malonga a insisté surtout sur le communisme matériel et moral qui règne dans le pays : « Ma Mazono est le gérant responsable, comme il est le directeur spirituel de la cité. Ici, tout est à tout le monde et à personne, et l'individu se perd dans la communauté. Le chef n'a pas plus de droit que le dernier de la cité pour puiser dans le Trésor. A N'Tsangou, les mots faim, misère, orphelin, ne sont pas connus »[2]. Une telle peinture n'offrirait guère d'intérêt, en dehors du plan littéraire, si l'on oubliait que cette nouvelle société a été conçue par un jeune homme que le sort a isolé dès sa naissance de la collectivité traditionnelle et qui a été révolté par ce qu'il a appris sur cette dernière: l'esclavage, l'inégalité des richesses, la condition de la femme entre autres. Il n'y a donc pas chez Malonga une « valorisation » systématique du passé. Mais plutôt une valorisation de la collectivité communautaire en tant que telle.

Avec *Crépuscule des temps anciens (chronique du Bwamu)* paru en 1962, le Voltaïque Nazi Boni évoqua trois siècles de l'histoire d'un peuple africain, les Bobo-Oulé, jusqu'à la conquête française. Comme il le rappelle dans l'avant-propos, l'auteur a voulu nous donner un tableau de la vie africaine traditionnelle, telle qu'elle était, en évitant

---

1. *Doguicimi*, p.218.
2. *La légende*, p. 118.

toute référence à l'Europe. Comme *Doguicimi* le livre est bien documenté et les principaux aspects de la collectivité apparaissent nettement. Après une évocation de l'âge d'or au pays Bwamu caractérisé par « le sport, le flirt et la musique », l'auteur nous décrit les institutions et les activités de ce peuple. Ainsi une grande place sera consacrée au problème des classes d'âges et nous allons assister à l'initiation des jeunes et au triomphe de ces derniers sur leurs aînés lors des épreuves servant à mesurer la force et le courage. La joie collective est également évoquée lors de la description du « Yumbeni » (sorte de jeux funèbres) en l'honneur de l'ancêtre Diyioua qui vient de mourir. Les réjouissances de chacun sont réglées selon un cérémonial très précis. Ainsi, « on ne s'engagera point dans les voies interdites du Kiro (adultère), car les sanctions du Kiro, occultes pour la plupart, sont terribles, fatales. Elles prennent rapidement l'allure d'une calamité. Kiribri ! Le Kiro ? une sale affaire ! L'homme qui tombe sous son coup est avili pour toujours, banni de la société, expulsé du village pour trois ans. Quand il rentre après son exil, il n'est plus qu'un Kaganîi, un étranger avec les humiliations que cela comporte »[1]. Nazi Boni a tenté enfin de montrer la forme de pensée découlant d'une société communautaire fortement structurée et il a souligné nettement cette tendance à n'envisager dans le monde extérieur et la société que des catégories. C'est ainsi par exemple que la femme sera toujours considérée comme appartenant à une « race » dont les caractéristiques précises sont de toute éternité : la fourberie, l'infidélité, la jalousie...

L'examen des grandes reconstitutions historiques ne serait pas complet si l'on omettait *Soundjata ou l'épopée mandingue* de Djibril Tamsir Niane, paru en 1960. Cet ouvrage n'est pas à proprement parler un roman puisqu'il est la traduction des récits historiques « d'un obscur griot du village de Djeliba Koro dans la circonscription de Siguiré en Guinée », comme l'affirme l'auteur dans l'avant-propos. Cependant, comme les romans évoqués précédemment, il se propose de retracer la naissance d'une société aujourd'hui disparue depuis longtemps : l'empire mandingue dont on peut situer la fondation au début du XIIe siècle. D. T. Niane rappelle l'œuvre de Soundjata qui sut faire de Niané, la capitale du vieux Manding, le centre d'un immense empire. Le livre évoque, surtout dans les dernières pages, la vie sans problèmes des habitants de l'empire, gouvernés par un souverain sage et juste, mais on ne trouve pas de peinture précise des mœurs et des institutions.

Quelle que soit l'importance de la documentation historique — et nous avons vu cette importance dans *Doguicimi* par exemple — l'intérêt de ce genre de romans reste surtout littéraire, car nous ne

---

1. *Crépuscule des temps anciens*, p. 98.

possédons sur les époques évoquées que le témoignage de la tradition qui n'est au fond qu'une version « officielle » des faits alors qu'il nous faudrait le témoignage particulier d'un membre d'une de ces collectivités. La peinture toujours idyllique du passé qui caractérise la plupart des romans de ce genre a certes une signification artistique et morale, mais s'accorde mal avec l'objectivité qu'on est en droit d'attendre de l'histoire.

II. — La peinture de la collectivité traditionnelle d'aujourd'hui.

Si la reconstitution romanesque des anciennes collectivités est forcément sujette à caution, il n'en est pas de même pour les collectivités traditionnelles qui subsistent encore de nos jours et dont les romanciers ont souvent évoqué les principaux aspects. Il s'agit en général de collectivités rurales n'ayant que peu de rapports avec le monde moderne et appartenant aux régions d'Afrique Noire les plus variées selon l'origine des écrivains. Les anciennes organisations en État ou Empire ayant disparu pour être remplacées par une administration de style européen, notre analyse se limitera aux seuls éléments de la collectivité encore vivaces qui ont fait l'objet de développements romanesques et dont les auteurs ont pu avoir une expérience directe. Nous nous bornerons donc pour l'essentiel de cette partie au monde rural dont l'unité principale reste le village, cadre immuable de la vie du groupe[1].

A. *La naissance.*

L'insertion de l'individu au sein de la collectivité a lieu dès la naissance de celui-ci. Les relations qui vont s'établir entre lui et sa famille préfigurent celles qu'il aura plus tard avec l'ensemble de la société à laquelle il appartient dès le premier jour. On remarque ainsi chez beaucoup de romanciers une tendance générale à souligner les liens

---

1. Notre façon de procéder est d'ailleurs en accord avec les données de l'ethnologie africaine. Cf. L.-V. Thomas, *Généralités sur l'ethnologie négro-africaine*, p. 15 : « Les structures de grande envergure demeurent ou demeurèrent malgré tout exceptionnelles en Afrique, la conscience d'espèce fragile ou inconsistante au niveau de l'ethnie – voire de la tribu – n'atteignent jamais la nation ou l'État. Cela provient, si nous écartons les conditions historiques ou géographiques, du fait que l'organisation politique négro-africaine reste malgré tout ambitieuse, donc difficilement actualisable. Chefs, empereurs ou rois, en effet, prétendent incarner non seulement la société, mais l'Ordre entier (comme toujours en Afrique l'organisation des hommes rejoint celle du Cosmos). »

qui peuvent exister entre l'enfant et le pays qui lui a donné naissance[1]. Ousmane Socé évoquera de la sorte le petit Fara, au début de *Mirages de Paris* : « Dans ce village un petit noir poussait comme les tamariniers de la brousse, libre dans l'espace »[2]. Les liens physiques ne sont pas les seuls, il y a aussi les liens culturels et, sous ce rapport, très significative est l'attitude de Mamadou Gologo qui, au début de son autobiographie *Le rescapé de l'Éthylos*, après avoir rappelé les circonstances de sa naissance, éprouve le besoin de raconter les origines légendaires de son village natal.

Le thème chez Ousmane Socé et Gologo est tout juste esquissé, mais de nombreux autres écrivains l'ont traité de façon beaucoup plus complète en illustrant leurs récits de détails précis empruntés à la réalité africaine. En Afrique la naissance d'un enfant intéresse tout le village, c'est la preuve en effet que le couple procréateur est agréé par les forces divines et qu'il est utile à l'ensemble de la communauté. Cette façon de voir va donner à la joie du père ou de la mère une résonance particulière. David Ananou dans *Le fils du fétiche* l'a noté très justement lorsqu'il évoque les sentiments du petit Dansou : « Il adorait Dansou de tout son cœur, car Dansou resserrait les liens qui l'attachaient à sa femme.

» Il adorait Dansou parce que, de haute lutte, il l'avait arraché aux dieux.

» Il l'adorait avec reconnaissance, car Dansou, c'était sa victoire sur ses ennemis et sa récompense de sa fidélité envers les dieux »[3].

Inversement le couple stérile connaîtra la souffrance de se voir rejeter du groupe et haï par les dieux. Jean Ikellé-Matiba nous décrit ainsi la réprobation publique attachée à sa mère considérée longtemps comme stérile : « Ma mère dut attendre pendant dix ans avant de me concevoir. On la disait stérile. C'était, à l'époque, une infamie qu'un ménage sans enfants. Vous étiez méprisé. Nulle considération puisque votre lignée allait s'éteindre. La femme était le plus à plaindre. On la regardait toujours, dans ce cas, comme une aventurière venue ruiner la famille de tel ou tel. Pour ma mère donc, après avoir traîné une existence coupable, disait-on, elle était venue effacer le nom de Banag de notre arbre généalogique. On plaignait mon grand-père. On croyait tout perdu »[4].

La naissance est donc considérée comme un événement qui intéresse tout le groupe et cette croyance va se concrétiser par des céré-

---

1. Cf. Aké Loba, *Kocoumbo, l'étudiant noir*, p. 10 : « Dans les autres villages comme dans les villes, ils sont des étrangers. Chacun d'eux avec son sort est lié à Kouamo : il en est le membre, il en est le décor. »
2. P. 9.
3. *Le fils du fétiche*, p. 39.
4. *Cette Afrique-là*, p. 25.

monies particulières qui sont en général de deux sortes : les unes ont lieu au moment même de la naissance, les autres neuf jours après. David Ananou dans *Le fils du fétiche* dont l'action se situe « dans la brousse de Séva, petit village au Sud du Togo »[1] et Jean Ikellé-Matiba dans le roman déjà cité qui se passe au Cameroun ont décrit tous les deux ces différentes pratiques. La première cérémonie, relativement plus intime, traduit surtout la joie des parents tandis que la seconde a pour rôle essentiel de faire entrer l'enfant dans le monde des hommes et des dieux. C'est à cette occasion que l'enfant sortira pour la première fois de la case où il est né. « Pour la première fois, écrit David Ananou, il allait prendre contact avec le monde extérieur et jouer son rôle dans le grand drame de la vie »[2]. Dans ce même livre, également, est évoqué le cas particulier de la naissance de jumeaux dont David Ananou souligne la signification religieuse. Les jumeaux sont considérés par les parents comme des demi-dieux et « à ce titre, ils sont plus adorés et craints que simplement affectionnés »[3].

La naissance n'intègre pas seulement l'enfant à la collectivité des vivants, elle le rattache aussi à un passé fortement structuré. L'enfant fait d'abord partie d'un lignage[4].

Ainsi Mamadou Gologo rappellera au début de son autobiographie *Le rescapé de l'Éthylos*, la vie de son grand-père, lieutenant d'El Hadj Omar[5]. Mais l'enfant fait également partie d'un clan[6] et se rattache ainsi à un ancêtre mythique caractérisé par un totem particulier. Très souvent le nom donné à l'enfant rappellera ce totem. Le héros du *Fils du fétiche* s'appellera par exemple Dansou puisque « Dan » — le serpent — est le fétiche du clan. Et l'on connaît l'épisode célèbre de *L'enfant noir*, où le narrateur découvre que le serpent est le génie de sa race. L'enfant peut appartenir à une caste[7] et, là encore, le nom qu'il porte joue un grand rôle puisqu'il va déterminer son avenir : il sera guerrier, griot, forgeron, chasseur, etc...

Si les romanciers soulignent très fréquemment l'appartenance

---

1. *Le fils du fétiche*, p. 7.
2. *Ibid.*, p. 37.
3. *Ibid.*, p. 153.
4. *Lignage* : « au maximum 4 à 6 générations : ensemble d'individus descendant effectivement d'un ancêtre commun historique dont on conserve le souvenir réel ainsi que de ses successeurs ». L.-V. THOMAS, *Généralités sur l'ethnologie négro-africaine*, p. 9, Dakar, s.d.
5. Cet ancêtre commun historique peut même se réincarner dans l'enfant. Voir *Le fils du fétiche*, p. 42.
6. *Clan* : « Le clan primaire exogame (aujourd'hui remplacé par ses divers segments = sous-clans) rassemble tous les individus issus unilinéairement d'un ancêtre mythique et se réclamant du même animal totémique » (L.-V. THOMAS, *op. cit.*).
7. *Caste* : groupe social traditionnel fermé, endogamique, fondé sur une spécialisation professionnelle. Griots et forgerons forment les castes les plus connues en Afrique noire.

de l'individu au lignage et au clan, le lien avec la tribu ou l'ethnie[1] n'est au contraire presque jamais évoqué dans les œuvres situées à notre époque en milieu traditionnel. Quant à la division classique du village, de la maison, du foyer, importante pour l'enfant puisqu'elle est l'image concrète de l'organisation sociale, elle se retrouve dans le roman mais de façon éparse et ne fait pas l'objet de développements particuliers, sauf dans *L'enfant noir*. D'une façon générale les écrivains se sont attachés à la description de la famille réduite.

B. *L'éducation.*

La fusion de l'individu dans la collectivité amorcée dès la naissance va se consolider par l'éducation qui fera de l'enfant avant tout un être social. On retrouve dans le roman, mais de façon assez dispersée, les quatre grandes étapes de l'éducation africaine traditionnelle : de la naissance à l'apparition des dents ; de l'apparition des dents jusqu'à 5 ou 6 ans ; de 5 ou 6 ans à l'âge de l'initiation ; l'âge de l'initiation qui permet le passage de l'enfance à la vie adulte. Les romanciers cependant se sont surtout attachés à la peinture des trois grands milieux au sein desquels l'enfant apprendra peu à peu à être un homme : la famille, la classe d'âge et les sociétés initiatiques.

La famille sera le premier groupe qui façonnera l'enfant. Aussi les rapports de ce dernier avec ses proches parents constitue-t-il l'un des thèmes privilégiés du roman africain.

C'est d'abord la mère qui représentera la collectivité auprès de l'enfant. Elle nourrit son enfant et le porte jusqu'à ce qu'il puisse marcher. Les soins donnés à l'enfant impliquent toujours une idée de formation et d'éducation. Ainsi David Ananou écrit : « A califourchon sur le dos de sa maman, le fils du Fétiche, tel un prince à cheval, faisait connaissance de jour en jour du milieu appelé à être le sien. Il était toujours nu-tête, car bien vite il lui fallait se familiariser avec le soleil. Il était souvent nu : car il fallait qu'il fût réfractaire aux intempéries des saisons »[2]. De même, Jean Ikellé-Matiba évoque les encouragements que lui prodiguait sa mère lorsqu'elle le lavait chaque matin : « Marche comme un coq. Vole comme un passereau. Saute comme un cabri. Cours comme un lièvre et mugis comme un lion »[3]. Ainsi toute

---

1. *Tribu* : « endogame (ou la sous-tribu), définit les sujets qui procèdent cette fois bilatéralement d'un ancêtre mythique (souvent rappelé par une légende) : elle constitue un gestalt linguistique, rituel et coutumier » (L.-V. Thomas, *op. cit.*).
L'ethnie : « qualifie la plus grande unité traditionnelle de conscience d'espèce. Ainsi l'ethnie Serer (au Sénégal) comporte trois tribus... et quatre clans primaires..., eux-mêmes divisés en une vingtaine de sous-clans... répartis à leur tour en un certain nombre de familles étendues » (L.-V. Thomas, *op. cit.*).
2. *Le fils du fétiche*, p. 40.
3. *Cette Afrique-là*, p. 36.

une partie de l'éducation de l'enfant appartient traditionnellement à la mère. A partir de six ans l'enfant n'est plus confiné dans le gynécée et découvre alors la séparation des sexes. Mais il peut arriver que la mère continue à élever ses enfants. C'est le cas en particulier pour les filles. Lorsqu'elle est veuve, elle tient souvent à garder ses enfants et les initie au travail qu'ils auront à faire plus tard. Yaye Daro, pauvre marchande de Louga, voudrait bien que sa petite Maïmouna continue toute sa vie à être vendeuse au marché[1]. Dans le roman de Denis Oussou-Essui, *Vers de nouveaux horizons*, nous voyons également la vieille mère Bessongo, dont le mari a été tué autrefois, élever son fils et sa fille et faire de l'un un paysan et de l'autre une ménagère parfaite. Il peut même arriver que la mère dans certains cas recommence à s'occuper de son enfant. Le fils du Fétiche est âgé d'une quinzaine d'années lorsqu'il se casse une jambe et c'est à la mère qu'incomberont tous les soins — physiques et moraux — nécessaires au blessé.

Mais de toute façon un lien affectif très fort va s'établir entre l'enfant et sa mère, après qu'ait cessé le rôle physiologique et social de celle-ci. La mère est toujours représentée comme s'associant à l'avenir de son enfant. Les problèmes de celui-ci sont les siens et il n'est pas rare de la voir douée d'une sorte de don de prémonition. C'est ainsi que la mère Bessongo dans *Vers de nouveaux horizons* revoit fréquemment en songe son fils Charles qui prit autrefois la fuite, au moment des travaux forcés et dont le geste devait entraîner par représailles la mort du père Dibi Bessongo : « ... il m'est apparu aussi clairement que je te vois. Il venait avec Dibi... J'ai bien vu Charles qui marchait devant. Comme il a changé, mon dieu... ! La mort de Dibi a dû l'ébranler terriblement pour qu'il m'apparaisse toutes les nuits aussi déprimé. Ah ! Charles ! Mon Charles ! Mon enfant ! »[2]. Dans *L'enfant noir* nous voyons une attitude semblable de la mère qui redoute à l'avance et pressent toutes les difficultés que connaîtra son fils chaque fois qu'elle le voit s'éloigner un peu plus : Conakry, Dakar, Paris... Mamadou Gologo, l'auteur du *Rescapé de l'Éthylos* nous décrit longuement les efforts — finalement victorieux — de sa mère qui réussit à l'arracher à la déchéance de l'alcool. Même au moment où la famille commence à se demander si elle pourra sauver le narrateur, seule la mère ne perd pas courage et continue à faire confiance à son fils : « S'il plaît à Dieu, mon fils, la vie que tu mènes actuellement deviendra très bientôt un simple souvenir, mieux qu'un simple souvenir, qui te fera rire plus tard. Je n'ai jamais douté, quant à moi, de la possibilité de ta guérison. Aie confiance en Dieu, aie confiance en moi et en toi-

---

1. Abdoulaye SADJI, *Maïmouna*.
2. P. 72-73.
Même frayeur nocturne chez la mère du jeune Ni menacée par des sorciers dans *Faralako* d'Émile CISSÉ, p. 88.

même... Tu as toujours été bon fils, et mes vœux te suivront partout et ne te lâcheront jamais »[1]. La mère constitue ainsi en fin de compte le seul lien avec l'univers matériel et moral auquel appartenait autrefois l'individu..

De même dans *Faralako*, d'Émile Cissé, nous voyons un étudiant qui a quitté son village depuis sept ans repartir aussitôt pour la Guinée, après avoir reçu une lettre de sa vieille mère qui se sent menacée par des sorciers. On ne résiste pas à l'appel d'une mère.

On comprend alors à quel point la mère est un personnage essentiel du roman africain et significatives sont à cet égard les multiples dédicaces « à ma mère » qui sont parfois très émouvantes, comme celle qui introduit le récit de Camara Laye : « O Dâman, ô ma mère, toi qui me portas sur le dos, toi qui m'allaitas, toi qui gouvernas mes premiers pas, toi qui la première m'ouvris les yeux aux prodiges de la terre, je pense à toi... Femme noire, femme africaine, ô toi, ma mère, merci ; merci pour tout ce que tu fis pour moi, ton fils, si loin, si près de toi »[2].

Le rôle du père[3] n'est pas le même que celui de la mère. D'une façon générale il apparaît comme moins important surtout dans les milieux où la polygamie est pratiquée et aussi parce qu'il ne cesse jamais d'incarner aux yeux de l'enfant une catégorie sociale : il a un métier et l'âge lui confère une autorité importante sur tous ceux qui l'entourent. Aussi ne sera-t-il pas rare de présenter le père comme un homme sévère avec les siens. Mamadou Gologo insiste sur les châtiments paternels : « Mon père ne pardonnait aucune faute, qu'elle fût avouée ou pas ! Il était sévère et partisan des vieilles méthodes. Il cautionnait pleinement la règle des châtiments corporels alternés avec les réprimandes. Mais ces réprimandes étaient distribuées de telle sorte que la victime saisissait aussi bien l'avantage d'une bonne conduite que la bassesse de l'inconduite »[4]. Mais plus loin le narrateur tient à souligner la justice qui animait son père. D'autres vont plus loin. Chez Seydou Badian, l'auteur de *Sous l'orage* et chez Mongo Béti, dans *Mission terminée*, le père apparaît comme un personnage hostile, opposé systématiquement aux aspirations les plus légitimes de ses enfants. Mais le portrait le plus juste et le plus complet, que nous ayons du père, nous le trouvons dans *L'enfant noir*. Camara Laye définit deux aspects essentiels, qui dans la plupart des autres romans

---

2. *Le rescapé de l'Éthylos*, p. 320.
1. *L'enfant noir*, p. 7-8.
2. Les romanciers ne rendent compte que très imparfaitement des différences qui existent entre la structure matrilinéaire et la structure patrilinéaire. Dans le premier cas, l'oncle maternel peut être plus important pour l'enfant que le père, mais le roman s'attache surtout à l'évocation du père. On peut se demander s'il ne faut pas voir dans ce fait un souvenir des autobiographies européennes dont a pu s'inspirer l'auteur.
3. *Le rescapé de l'Éthylos*, p. 40.

ne sont qu'indiqués. Camara Laye insiste d'abord sur la fonction sociale du père qui est forgeron. Ce dernier lui apparaît comme un homme sympathique d'ailleurs qui joue un rôle précis dans le village. Aussi le père a-t-il pour mission d'expliquer à l'enfant ce qu'il ne comprend pas et de l'intitier aux réalités sociales[1]. L'auteur souligne aussi, tout au long de son livre, le lien qui l'unit à son père et qui est très différent de celui qui est tissé entre l'enfant et la mère. Il s'agit d'une amitié plus raisonnable qu'affective. Et lorsqu'il faut prendre une décision importante pour l'avenir de l'enfant, nous voyons le père examiner objectivement la situation sans laisser trop de prise à l'émotion incontrôlée. C'est le cas notamment quand il est question d'envoyer « l'enfant noir » poursuivre ses études en France. Au désespoir de la mère va s'opposer le résignation clairvoyante du père : « Je savais bien qu'un jour tu nous quitterais : le jour où tu as pour la première fois mis le pied à l'école, je le savais. Je t'ai vu étudier avec tant de plaisir, tant de passion... Oui, depuis ce jour-là, je sais ; et petit à petit, je me suis résigné... Maintenant que cette chance est devant toi, je veux que tu la saisisses ; tu as su saisir la précédente, saisis celle-ci aussi ; saisis-la bien ! Il reste dans notre pays tant de choses à faire... »[2]. Cette objectivité du père se retrouve chez beaucoup d'autres romanciers mais elle peut, bien entendu, s'exercer au détriment de l'enfant en particulier quand le père s'oppose à un mariage — la mère cherchant alors à satisfaire la vie affective de l'enfant et jouant le rôle de médiatrice[3].

Alors que le père incarne la plupart du temps l'aspect social de la vie, les grands-parents et les oncles font prendre conscience à l'enfant de son appartenance à un groupe plus large : clan ou tribu. Beaucoup d'écrivains évoquent les séjours fréquents qu'ils y ont faits. Tout le chapitre III de *L'enfant noir* est consacré aux merveilleux séjours de l'enfant à Tindican, chez sa grand-mère et ses oncles. Il est à noter que le séjour de l'enfant, en général, n'a pas d'autre but que de resserrer les liens de la famille. Les voyages de l'enfant chez ses grands-parents ou chez ses oncles ne sont pas uniquement des vacances. C'est de la sorte qu'Avlessi, mère du petit Dansou, dans *Le fils du fétiche*, défend devant son époux le projet de son fils qui a manifesté le désir d'aller chez son

---

1. Cf. Roger MERCIER, M. et S. BATTESTINI, *Camara Laye* (Fernand Nathan), collection « Littérature Africaine », p. 8 : « Le forgeron-orfèvre incarne donc, en même temps que l'esprit d'une caste très spéciale, une condition tant sociale que magique. Sociale, parce que c'est grâce à son métier qu'il subvient aux besoins de sa famille. Magique, parce que, pour pratiquer son art, il a recours à des procédés mystérieux admis sans discuter par les non-initiés. »
2. *L'enfant noir*, p. 246-247.
3. Dans *Le fils du fétiche*, p. 54 : Avlessi s'oppose à son mari et plaide la cause de l'enfant, lorsque le père refuse d'envoyer son fils faire un séjour chez son oncle.

oncle passer quelques jours : « Ton fils demande à aller dire bonjour à ton frère. Je ne vois pas ce qu'il y a d'alarmant dans une si noble intention. » Et parmi les messages affectueux envoyés par le père, une fois qu'il a admis la chose, il y en a un pour « Amoussou Koulolo, le prêtre du dieu serpent »[1].

La famille, comme on vient de le voir, est surtout incarnée aux yeux de l'enfant par quelques personnages de premier plan ; mais elle ne se limite pas au père, à la mère, aux grands-parents ou aux oncles. Il y a en effet des moments particuliers où la famille apparaît à l'enfant dans sa totalité, établissant entre les différents membres du groupe des milliers de liens.

Ainsi, toute décision importante au sujet de l'enfant, ne pourra être prise qu'avec l'accord de l'ensemble des différents membres de la famille. Et cette habitude est tellement enracinée qu'on en arrive même à demander leur avis à certains parents tout en sachant bien que l'on n'en tiendra pas compte. Denis Oussou-Essui, dans *Vers de nouveaux horizons*, a décrit un épisode de ce genre. Charles a décidé d'envoyer son jeune frère Georges à l'école européenne sans demander l'avis de la famille. On devine bien sûr la réaction de la mère : « As-tu donc oublié toutes les traditions de ce village ? »[2]. Il est donc forcé de discuter du projet avec ses autres parents et il rend visite notamment à la tante Konga, qui a pourtant essayé de s'emparer des biens de sa mère et qui est considérée comme une ennemie : « Va la voir, lui conseille la vieille Bessongo, et présente-lui tes projets même s'ils sont d'avance rejetés. L'opinion publique elle, ne les rejettera pas. » Et ce sera d'ailleurs ce qui se passera, après que tout le monde a bien pesé le pour et le contre.

De la même manière, le voyageur qui quitte son village doit faire ses adieux à toute la communauté et lorsqu'il revient, c'est également avec le groupe tout entier qu'il devra reprendre contact. « J'allai dire au revoir aux vieilles gens de notre concession et des concessions voisines, et j'avais le cœur gros[3] », écrira Camara Laye au moment de partir pour Conakry. Et Denis Oussou-Essui décrira ainsi le retour de Charles dans son village, après ses années d'absence : « Les yeux en sang, Charles s'effondra dans la poussière et, selon les rigueurs de la coutume, pleura longtemps toutes les personnes du village décédées en son absence. Tous ceux qui se trouvaient au village ce jour-là avaient accouru et la petite cour des Bessongo se trouva bondée d'une foule qui se pressait silencieuse autour de l'aoufoué, l'étranger »[4].

Cependant le moment qui marque le mieux la cohésion du groupe

2. P. 54 et 55.
2. P. 82.
3. *L'enfant noir*, p. 183.
4. *Vers de nouveaux horizons*, p. 75.

familial est le repas en commun qui joue aussi un rôle éducatif. Tandis que le plat central symbolise l'unité de la famille, chacun suit un rituel précis qui correspond au rang qu'il occupe dans la société. Camara Laye a longuement expliqué dans son autobiographie le sens profond du repas familial : « Nous nous asseyions tous autour des plats fumants : mes parents, mes sœurs, mes frères, les apprentis, ceux qui partageaient mon lit comme ceux qui avaient leur case propre. Il y avait un plat pour les hommes, et un second pour ma mère et pour mes sœurs. Je ne puis dire exactement que ma mère présidait le repas : mon père le présidait. C'était la présence de ma mère pourtant qui se faisait sentir en premier... C'était ma mère, par le seul fait de sa présence, et bien qu'elle ne fût pas directement assise devant notre plat, qui veillait à ce que tout se passât dans les règles ; et ces règles étaient strictes. Ainsi, il m'était interdit de lever les yeux sur les convives plus âgés et il m'était également interdit de bavarder : toute mon attention devait être portée sur le repas... L'heure était à honorer la nourriture. Ce n'était pas les seules règles : celles qui concernaient la propreté n'étaient pas les moindres. Enfin s'il y avait de la viande au centre du plat, je n'avais pas à m'en emparer ; je devais me servir devant moi, mon père se chargeant de placer la viande à ma portée... Le repas achevé, je disais :

» — Merci, papa.
» Les apprentis disaient :
» — Merci, Maître.
» Après je m'inclinais devant ma mère et lui disais :
» — Le repas était bon, maman.
» Mes frères, mes sœurs, les apprentis en faisaient autant »[1].

Dans ce texte capital, Camara Laye souligne très nettement le rôle du repas qui fait prendre conscience à l'enfant des prérogatives et des devoirs qu'il a au sein de ce groupe qui lui assure la vie.

La famille n'est pas le seul groupe chargé de l'éducation de l'enfant. Très tôt en effet ce dernier va fréquenter ceux de son âge et ce contact développera chez lui le sens des relations humaines.

Cette fréquentation cependant ne commence guère qu'à l'âge de 6 ou 7 ans. Jusque-là, l'enfant vit avec les siens et, les romanciers ont souligné qu'en dehors des moments familiaux importants, comme les repas, les fêtes, etc..., l'enfant jouait seul. Camara Laye le rappelle au début de *L'enfant noir* : « J'étais enfant et je jouais près de la case de mon père. Quel âge avais-je en ce temps-là ? Je ne me rappelle pas exactement. Je devais être très jeune encore : cinq ans, six ans peut-être. Ma mère était dans l'atelier, près de mon père, et leurs voix me parvenaient, rassurantes, tranquilles, mêlées à celles des clients

---

1. *L'enfant noir*, p. 81 et 82.

de la forge et au bruit de l'enclume »[1]. Cette activité solitaire, caractéristique de la première enfance, ne dure pas, sauf pour les filles qui restent plus longtemps au sein du milieu familial. Maïmouna, par exemple, joue avec sa poupée lorsque sa mère n'a pas besoin de son aide. Cependant il faut constater que les événements survenus à cette période sont très rarement évoqués et ne semblent pas avoir beaucoup frappé les écrivains. Et, si l'on se réfère à l'éthique traditionnelle, il est logique, au fond, de passer sous silence les tendances individualistes de l'enfant, nuisibles par essence au groupe. Voilà pourquoi on ne trouvera à peu près rien de tout ce qui peut faire battre le cœur d'un enfant seul et lui façonnera une personnalité propre : évasion par le jeu, joie, tristesse, honte, remords... Le roman africain est souvent une autobiographie — à la première ou à la troisième personne —, il n'est jamais une confession.

Aussi le passage de l'activité individuelle à l'activité collective — vers six ou sept ans — est-il, pour l'enfant, un moment capital, puisque à partir de ce moment-là il ne va plus cesser d'appartenir à des groupes. Cette rupture avec une vie, par instants, solitaire va d'autre part le rapprocher du monde des adultes avec lesquels il aura désormais certaines activités communes. L'enfant dès lors connaît un nouveau milieu, aussi important pour lui que la famille : la classe d'âge[2].

La classe d'âge, rappelons-le, est une association qui regroupe tous les individus du même âge. Ces derniers appartiendront aux différentes classes d'âge jusqu'à l'époque du mariage. Les classes d'âge sont souvent évoquées par les romanciers. Elles sont présentées toujours comme le milieu naturel de l'enfant hors de sa famille. Elles ne sont pas à proprement parler des institutions mais bien plutôt des regroupements, au sein desquels l'enfant va volontiers parce qu'il sait qu'il y trouvera des amis. Groupement librement accepté, la classe d'âge n'exercera sur ses membres aucune contrainte, car elle est avant tout un faisceau d'affinités.

Les enfants se regroupent d'abord pour des activités de loisir. Celles-ci sont des plus variées : maraudage sur les marchés dans *Le rescapé de l'Éthylos*[3], chasses clandestines dans *Le fils du fétiche*[4], acti-

---

1. P. 9.
2. On doit cependant distinguer le « groupe d'âge (en anglais : « age set ») de la « classe d'âge (« age grade »). Le groupe d'âge rassemble ceux qui ont le même âge, dans une société qui n'a pas fondé sa hiérarchie sociale et le statut des individus uniquement sur l'âge mais aussi sur la naissance et d'autres critères. La classe d'âge est, au contraire, une catégorie sociale fondée sur l'âge et à laquelle on appartient dans une société où la hiérarchie sociale est fondée sur ce type de groupement. Elle est donc un grade, un statut attribué à l'individu.
3. P. 35.
4. P. 53-54.

vités sportives dans *Mission terminée*, discussions dans *Sous l'orage*. *Mission terminée* donne des détails intéressants sur les associations et le narrateur qui vient d'arriver dans son village est notamment frappé par la bonne entente et la liberté qui règnent parmi ses compagnons : « C'étaient tous de très jeunes gens et l'atmosphère était la meilleure, la plus réconfortante que de ma vie il m'ait été donné d'éprouver. Figurez-vous une soirée de jeunes paysans, de jeunes gens aussi libres que possible, aussi peu soucieux de tenue, de bienséance qu'il est imaginable — et un peu ivres par-dessus le marché... »[1]. Plus loin, le héros en donnera un autre exemple en décrivant en termes crus la baignade et les activités de ses jeunes camarades.

Mais souvent l'association se propose un but utilitaire. Dans *L'enfant noir* nous voyons les enfants chargés de détruire avec leurs frondes les oiseaux qui s'attaquent aux récoltes ou de faire paître les troupeaux. Camara Laye, Oussou-Essui ont souligné également le rôle des groupements par âge lorsque la collectivité avait besoin d'un surcroît de main-d'œuvre. *Vers de nouveaux horizons* et *L'enfant noir* nous montrent bien que la tâche commune ne peut être menée à bien que par le concours de tous. Les classes d'âge sont utiles d'une autre manière également : les enfants sont fiers d'appartenir à leur classe et ce sentiment les poussera toujours à rivaliser avec les autres classes. Nazi Boni, dans *Crépuscule des temps anciens*, nous raconte comment les jeunes ont réussi à surpasser leurs aînés en accomplissant lors de la moisson collective un travail plus efficace. De même, l'oncle de « l'enfant noir » tient à occuper la première place dans la file des moissonneurs. Cette émulation perpétuelle permet à la société de se réformer sans secousses notamment en éliminant les aînés trop tyranniques. C'est ainsi que, dans *L'enfant noir*, les jeunes écoliers arriveront à faire cesser la domination des « grands » — comme celle du maître d'ailleurs — dont ils subissaient depuis toujours la loi. Obtenir plus de qualité dans le travail, supprimer l'injustice, tels sont souvent les buts de la classe d'âge.

Les sociétés initiatiques constituent un autre milieu, permettant l'épanouissement de l'enfant. Si les grandes fresques historiques comme *Doguicimi* ou *Crépuscule des temps anciens* les évoquaient souvent, les romans dont l'action se situe dans le milieu traditionnel actuel, en parlent peu. Il n'est par exemple presque jamais question de l'un des buts essentiels de toute initiation : l'établissement de liens entre l'initié et l'univers. David Ananou, dans *Le fils du fétiche*, fait une brève allusion à un séjour du héros dans le « Couvent du Tonnerre »[2], pendant un an, et Émile Cissé, l'auteur de *Faralako*, écrit à propos du

1. P. 53.
2. P. 9.

héros de son livre, qui vient de reprendre contact avec le sol natal après de longues études en France : « Désormais l'étoile filante lui annoncera la mort d'un chef de village, d'un grand notable ou d'un prestigieux féticheur. L'arc-en-ciel ne sera plus le résultat d'une dispersion lumineuse mais la manifestation énigmatique du Ningui-Nanga... Il faudra surtout qu'il se souvienne du langage des cailloux, de l'eau et des arbres, du langage des chants d'oiseaux. Ni a été circoncis et n'ignore rien de rien de tout cela »[1]. Mais à part ces deux exceptions, les écrivains n'ont retenu de l'initiation que son rôle social et ils ont dépeint l'épreuve la plus commune, la circoncision[2]. Les descriptions les plus intéressantes sont assurément celles de Camara Laye dans *L'enfant noir* et de Jean Ikellé-Matiba, dans *Cette Afrique-là*. Tandis que ce dernier insiste surtout sur la douleur imposée à chaque nouvel initié et sur l'attention que tout le village apporte à la cérémonie, le premier définit le sens de l'épreuve pour le jeune garçon qui y est soumis. Sortir victorieux ce jour-là constitue l'un des buts les plus importants de la vie. Aussi l'enfant y est-il préparé depuis longtemps. Il a d'abord fait partie de l'association des non-initiés et ses aînés ont éprouvé son courage en lui faisant passer avec ses compagnons une première nuit dans la forêt, tout près de Kondén-Kiara, monstre rugissant inventé d'ailleurs pour les besoins de la cause. « La cérémonie des lions » s'est répétée jusqu'au jour où il a été jugé digne d'affronter la grande épreuve.

Pour Camara Laye il s'agit véritablement d'une nouvelle naissance : « J'avais l'âge, à présent, et il me fallait à mon tour renaître, à mon tour abandonner l'enfance et l'innocence, devenir un homme »[3].

En résistant silencieusement à la douleur, devant tout le monde, au cours de cette épreuve qui n'est plus une mystification comme celle des lions, l'enfant se montre capable de supporter les sacrifices que le groupe peut plus tard lui imposer. Sa vie change alors complètement : il est un homme et va porter les vêtements de sa nouvelle condition ; il a également maintenant une case personnelle. Quant à l'enseignement donné aux initiés, tout au long de la cérémonie, bien que secret, il a essentiellement une portée sociale : « Ces leçons, les mêmes que celles qui furent données à tous ceux qui nous ont précédés, se résumaient à la ligne de conduite qu'un homme doit tenir dans la vie : être franc absolument, acquérir les vertus qui, en toutes circonstances, font l'honnête homme, remplir nos devoirs envers Dieu, envers nos parents, envers les notables, envers le prochain »[4].

Ainsi le but de l'initiation n'est pas de faire des héros mais seule-

---

1. P. 57.
2. *Sous l'orage*, p. 24.
3. P. 143.
4. P. 169.

ment des hommes sachant remplir toutes les obligations que peut leur imposer le groupe tant sur le plan physique que moral[1].

C. *Le mariage.*

L'éducation sous la triple influence de la famille, de la classe d'âge et des cérémonies initiatiques contribue fortement à intégrer l'individu au sein de son groupe. Cette fusion dans le collectif, nous la retrouvons par la suite dans tous les moments importants de la vie et particulièrement lors du mariage.

Le mariage en milieu traditionnel est présenté comme une institution dont le but est de maintenir l'équilibre du groupe en permettant des unions entre les différentes familles. Aussi est-il l'affaire de celles-ci, bien plus que celle des futurs époux. Ce sont souvent les parents qui décident de l'union de deux jeunes gens, parfois même à l'insu de ces derniers. Ainsi dans *Faralako*, d'Émile Cissé, la jeune Makalé qui aime Ni est forcée par les siens d'épouser le déplaisant Samaké. Nous retrouvons une situation analogue tout au long de *Sous l'orage*, de Seydou Badian. Benfa veut marier à un riche marchand, Famagan, sa fille Kany qui aime en secret depuis longtemps Samou. Bien qu'il soit à l'origine du projet, Benfa ne veut rien faire sans consulter ses frères, car il lui faut l'accord de ses pairs. Ses fils également doivent être au courant et il charge Sibiri, son préféré, de le leur annoncer. Il s'agit là cependant d'une formalité puisqu'il est absolument impossible que le père se voie contrarier par ses enfants. Mais le fait est particulièrement révélateur : le mariage doit être voulu par tous même si l'unanimité de la famille est purement formelle. Enfin, Kany, la principale intéressée, apprendra de sa mère la décision prise par le père depuis longtemps. Là encore on exige un semblant d'acceptation de la part de la jeune fille : « Tu dois obéir, s'écrie la mère ; tu ne t'appartiens pas et tu ne dois rien vouloir ; c'est ton père qui est le maître et ton devoir est d'obéir. Les choses sont ainsi depuis toujours »[2]. Plus loin, tout semble s'arranger et le père accepte Samou comme prétendant officiel mais en réalité il n'a pas oublié le projet initial de marier Kany à Famagan. Cependant là encore il ne peut réussir que s'il arrive à fléchir Djigui, son aîné, désormais favorable à Samou. Mais Djigui saura plaider la cause des jeunes et Kany pourra s'unir à Samou.

---

1. Bien que différente par le contenu de son enseignement, l'école coranique, en pays musulman, est pour l'enfant une série d'épreuves. Camara Laye dans *L'enfant noir*, Ousmane Socé dans *Mirages de Paris* en font mention et Cheikh Hamidou Kane dans *L'aventure ambiguë* y consacre de nombreuses pages. Il insiste sur les souffrances imposées par le maître à ses élèves lors de la récitation du Livre saint. Il souligne également l'enrichissement spirituel apporté aux talibés forcés de mendier en haillons dans les rues de leur village.
3. *Sous l'orage*, p. 61.

Dans *Cette Afrique-là* le mariage apparaît de façon encore plus nette comme l'alliance — au sens propre du terme — de deux familles, comme en témoigne le déroulement des tractations. Franz Mômha a vingt-sept ans lorsqu'un jour ses parents lui disent : « Nous t'avons trouvé une fiancée. Dans quelques semaines tu seras marié »[1]. Cette fiancée, le héros ne la connaît pas : « qui était-ce exactement ? je voulus connaître son histoire. Mais quel que soit le cas, je n'avais aucun droit de refuser sa main. En notre temps, on imposait des épouses aux jeunes gens et des maris aux jeunes filles »[2]. Quelques jours après, le père de Franz Mômha va de lui-même trouver Kana, le père de la jeune Olga, et il obtient pour son fils l'accord de la jeune fille. Franz apprend cette nouvelle de sa mère qui lui dit : « Ton père obtint le consentement de Kaba (autre nom d'Olga) sans difficulté. Afin de consacrer son geste, il lui offrit un singe fumé, une bouteille de whisky pour son père. Ainsi Kaba t'avait pris pour l'élu de son cœur. La consultation avait réussi. Fier de son exploit, ton père sortit de son sac six mètres de velours qu'il présenta à la jeune fille. La procédure était engagée. Il fallait accélérer les choses »[3]. Huit jours après le père retourne au pays de la jeune fille, Son-Simut, et, cette fois, ce sont les deux familles qui se trouvent rassemblées. Il s'agit de « la traditionnelle visite privée, annonce officielle des fiançailles »[4]. Comme le rappelle l'oncle du narrateur, nous sommes encore loin du but : « Notre visite n'a pas pour but de réclamer la fiancée. Nous sommes en visite privée. Acceptez simplement ce que nous vous présentons »[5]. Cette visite « intime » se termine laissant les deux fiancés dans l'incertitude la plus complète : « Je reçus une lettre de Kaba, écrit Franz ; elle doutait de la réalité et croyait la chose impossible »[6]. Enfin arrive le jour de la grande palabre. Cette fois, les groupes en présence se sont élargis. Ainsi, on a fait appel du côté du fiancé, à « deux vieillards éloquents » représentant en quelque sorte le village, et dont l'assentiment a d'ailleurs été obtenu par des cadeaux. Fait notable, pour la première fois Franz participe aux débats. La discussion sera longue et va se dérouler selon un rite précis d'où ne seront pas exclus le jeu et la mystification. Cette réplique d'un membre de la famille de la jeune fille en donnera un exemple : « Quant à mes premières paroles, tout comme vous, j'ai suivi la règle du jeu. La tradition veut également qu'on embrouille la mise en scène afin de mieux préparer la crise »[7]. Les incidents ne manquent pas et devant les prétentions excessives de la famille d'Olga, le demandeur et les

---

1. *Cette Afrique-là*, p. 139.
2. *Ibid.*, p. 140.
3. *Ibid.*, p. 143.
4. *Ibid.*, p. 143.
5. *Ibid.*, p. 144.
6. *Ibid.*, p. 144.
7. *Ibid.*, p. 148.

siens se sentent obligés moralement de se retirer. Il ne s'agit, il est vrai, que d'une « fausse sortie ». Mais elle suffit à désespérer les deux jeunes gens : « Je voyais, nous dit le narrateur, Kaba pleurer au milieu de ses amies. Elle croyait la cause perdue. J'en avais le cœur brisé. » Les négociations finissent par reprendre et l'on trouve pour la dot un montant qui convient aux deux parties ; le contrat de mariage est établi. Les époux vont donc s'appartenir mais auparavant le futur mari doit, si l'on peut dire, « dédommager » par de nombreux cadeaux les amies de sa fiancée qui n'ont pas encore eu la chance de trouver un époux.

On voit d'après ces quelques exemples que les parents prennent toujours l'initiative sans se préoccuper de l'avis de leurs enfants parce qu'ils estiment que le mariage est plus l'union de deux familles que celle de deux individus. Mais bien que ces derniers soient souvent brimés par cette façon de voir, il serait faux de croire qu'ils aient un point de vue différent. Dans le milieu traditionnel que nous dépeint le roman nous trouvons beaucoup de jeunes gens et de jeunes filles qui s'aiment. Mais il y a toujours chez eux le désir profond de se marier, même si cet amour est contrarié par la famille. Il s'agit là moins d'un souci de légitimer une situation — comme c'est souvent le cas en Europe — qu'un désir profond de s'intégrer à un vaste groupe et d'en être accepté.

Banda, le héros de *Ville cruelle*, désirait profondément épouser la jeune fille que sa vieille mère lui destinait. Ce n'était pourtant pas l'amour qui le poussait : « Il s'agissait surtout, écrit Mongo Béti, de procurer une joie de dernière heure à la pauvre femme qui l'avait tant aimé et qui était condamnée irrémédiablement à une mort prochaine, du moins c'est ce qu'elle disait et croyait. Mais peu à peu, à mesure que les obstacles s'étaient accumulés plus nombreux sur son chemin, Banda s'était accroché à son entreprise avec une obstination désespérée, plus, maintenant pour s'affirmer que pour toute autre raison : il vient des moments généralement dramatiques, où l'on éprouve comme un pressant besoin de vérifier toutes les bonnes opinions qu'on avait de soi... »[1]. Et même après qu'un contrôleur inique lui a saisi sans aucune raison les deux cents kilos de cacao qui devaient lui permettre de payer la dot, il ne se décourage pas et essaye de trouver d'autres moyens « en vue d'une revanche sur le destin »[2]. Aussi n'est-ce que bien tard qu'il se tourne vers Odilia qu'il aime réellement, « la petite sœur dont il avait rêvé toute sa vie »[3], car demander d'être sa femme, à une jeune fille qui ne voulait pas de dot, était, dans la pensée de Banda, « une manière de capitulation, l'aveu de son impuissance, à laquelle il

---

1. *Ville cruelle*, p. 212 et 213.
2. *Ibid.*, p. 214.
3. *Ibid.*, p. 214.

s'était toujours refusé à croire »[1]. C'est au fond une attitude semblable que nous retrouvons chez le narrateur du *Rescapé de l'Éthylos*. Au plus profond de sa déchéance, le héros apprend un jour qu'il vient d'être père. Ce nouveau coup du destin le rend furieux et pourtant il avise par télégramme sa famille en la chargeant de demander pour lui la main de la mère. Rien ne l'y obligeait et il ne le souhaitait pas, mais peut-être a-t-il inconsciemment profité de cette occasion qui lui permettait de rétablir des liens avec sa famille et son milieu.

La même préoccupation anime généralement bon nombre de personnages qui, de retour chez eux après un long séjour à l'étranger, se montrent très désireux de se marier. Il y a par exemple, chez Jules dans *Vers de nouveaux horizons*, un souci constant de prouver à sa future belle-famille que la vie citadine ne lui a pas fait oublier le village natal : « il traçait, écrit Denis Oussou-Essui, rapidement sa vie menée au pays blanc et venait s'attarder volontiers sur les événements qui le reportaient aux souvenirs savoureux de sa jeunesse et de celle de Charles (le frère de la jeune fille qu'il courtise). Par ses récits il voulait montrer quel était son attachement à la famille Bessongo »[2].

Conçu, aussi bien par les parents que par les enfants, comme l'union de deux familles et non de deux individus seulement, le mariage donne à la vie des fiancés, puis des époux une note très particulière. L'ensemble du groupe familial exerce en effet sur les jeunes gens une pression qu'ils acceptent d'ailleurs la plupart du temps, mais qui ne leur permet pas de connaître une vie affective, indépendante et originale.

C'est ainsi que le prétendant doit s'efforcer de plaire autant à sa future belle-famille qu'à la jeune fille qu'il courtise et les cadeaux qu'il offre à cette dernière sont en fait des présents adressés à toute la famille. Ils prouvent la valeur sociale du prétendant. Dans *Vers de nouveaux horizons*, Denis Oussou-Essui a bien vu la manière dont une jeune fille apprécie le flacon de parfum que lui offre son fiancé : « Mariéna (était) subjuguée par le parfum qui exhalait déjà son odeur forte au-dessus d'elle... Elle présenta le cadeau à Georges (son frère) qui était en grande conversation avec Yao. Il l'apprécia et le glissa ensuite dans les mains de sa mère. Le petit flacon fit le tour du groupe sous l'œil ravi de son donateur »[3]. On retrouve dans *Maïmouna* la même attitude lorsque Daro, la vieille mère, se montre fière des cadeaux et des hommages que reçoit Maïmouna de ses prétendants. Et ce sentiment est partagé par une bonne partie du village.

Dans *L'enfant noir*, Camara Laye a montré comment la famille, par une sollicitude aussi affectueuse que pesante, s'opposait parfois

---

1. *Ville cruelle*, p. 214.
2. *Vers de nouveaux horizons*, p. 46.
3. *Ibid.*, p. 48.

à toute vie sentimentale. La fin du roman est marquée notamment par l'idylle qui se noue entre le narrateur et Marie. L'auteur souffre des commentaires perpétuels des tantes Awa et N'Gady qui ont déjà appelé Marie Mme Camara : « Tante Awa nous jugeait trop peu expansifs et elle soupirait :

» — Quels lourdauds vous faites ! disait-elle. Ma parole, je n'ai jamais rencontré de tels lourdauds »[1].

Après le mariage, c'est encore le groupe qui va déterminer le genre de vie que vont mener les époux et les rapports qui vont s'établir entre eux. Le rôle respectif du mari et de la femme — surtout en milieu traditionnel — est nettement fixé et les époux n'ont guère la possibilité d'en choisir d'autres. Les époux restent dans le village et profitent des ressources traditionnelles. Songer à aller vivre ailleurs serait mal vu et signifierait que le ménage veut se couper de son milieu d'origine. le couple n'est jamais envisagé comme une unité autonome et il est d'abord rattaché à la communauté par des liens économiques. C'est lui qui est chargé de faire vivre les parents qui ne peuvent plus travailler ainsi que les orphelins qu'il doit recueillir.

Il lui faut aussi faire des cadeaux substantiels aux belles-familles respectives. Les romanciers ont souvent évoqué ces nombreux personnages dont les jeunes ménages doivent s'occuper. Citons pour mémoire les beaux-parents de Dansou, dans *Le fils du fétiche*[2] et la vieille Bessongo dans *Vers de nouveaux horizons* avec laquelle Mariéna et son époux conservent des liens encore plus étroits : « Les jeunes mariés menaient la vie passionnée des premières périodes du mariage. Néanmoins Mariéna n'avait pas rompu les relations avec la maison maternelle. Il semblait au contraire qu'elle en avait renforcé les liens. Il ne se passait aucun événement dans sa nouvelle vie qu'elle n'en communiquât la teneur à Georges et à sa mère. A chacun des repas qu'elle préparait, elle prévoyait deux parts, celle qui allait au foyer conjugal et celle qui revenait à sa source. Son mari était aimable et ne cherchait qu'à rendre service à la mère Bessongo »[3]. Nous voyons ainsi d'après cet exemple que les liens avec le groupe sont recherchés par le couple. Ce dernier accepte la pression sociale bien plus qu'il ne la subit. En particulier la femme qui connaît un sort souvent plus injuste que son mari ne se considère jamais comme un être victime de l'injustice et qui aurait, par là même, le droit de résister. Il n'est pas rare de voir dans les œuvres romanesques des femmes déplorer leur triste condition : Mariéna dans *Vers de nouveaux horizons*, Maman Tené dans *Sous l'orage*, entre autres. Mais, comme le dit Denis Oussou-Essui, bien que son univers soit « clos comme un vase dont elle quittait un point du bord

---

1. *L'enfant noir*, p. 214.
2. Cf. p. 140 sqq.
3. *Vers de nouveaux horizons*, p. 71.

pour en heurter aussitôt un autre : coucher au champ pendant la saison des pluies pour combattre les singes, revenir au village à la saison sèche pour courir sur les chemins des marigots au chant du coq, contrairement à certaines jeunes filles que cet âge incite à la fugue, (Mariéna) restait bien calme et les soucis familiaux lui faisaient repousser les avances que les jeunes gens du village accouraient lui faire »[1].

De même Maman Tené comprend la révolte de sa fille, car elle a connu le même sort mais elle ne saurait l'encourager et lui prêche la résignation. Cette aliénation va même quelquefois encore plus loin. C'est ainsi que dans le roman d'Émile Cissé, *Faralako*, la jeune Makalé ne veut pas devenir la femme unique de Ni car « elle entend bien se reposer au moins cinq jours dans la semaine comme sa mère... »[2].

Les heurts qui peuvent survenir entre les époux achèveront de montrer à quel point le mariage, tel qu'il est dépeint dans le roman, est l'affaire de la collectivité tout entière. Il est fréquent de voir la famille déployer tous ses efforts et s'inquiéter, lorsqu'elle se rend compte que l'union qu'elle a favorisée risque de ne pas lui laisser d'héritiers. C'est d'ailleurs cette sollicitude excessive qui irrite Dansou dans *Le fils du fétiche*. L'adultère également intéresse lui aussi tout le groupe. Dans *Mission terminée*, Mongo Béti nous explique, par le truchement de Jean-Marie, le narrateur, ce que signifie pour le village la fuite de l'épouse Niam. L'affaire est d'autant plus grave que la jeune femme a succombé aux charmes « d'un petit voyou de la ville, market-boy de sa profession » car « la gravité de l'adultère est toujours fonction de la distance réelle ou sentimentale qui sépare les deux tribus : celle de l'époux malheureux et celle de l'amant. C'est déjà une faute presque grave pour une femme de se donner à un homme de la tribu voisine, c'est presque une malédiction qu'elle se donne à un déraciné »[3]. Aussi ne s'étonnera-t-on pas que le mari trompé, en confiant à Jean-Marie la délicate mission de lui ramener sa femme, essaie de le convaincre par ces arguments : « Cette affaire n'est pas seulement la mienne, c'est l'affaire de toute la tribu. Cette femme n'est pas seulement la mienne, c'est notre femme à tous. C'est donc nous tous que la situation actuelle affecte »[4].

A l'inverse, une faute commise par le mari a des conséquences tout aussi importantes. Citons seulement l'exemple du *Roi miraculé* où nous voyons le héros provoquer la ruine de la tribu à partir du jour où il a décidé de répudier toutes les femmes pour n'en garder qu'une, désireux désormais de se conformer à la morale chrétienne.

Nous avons vu que dans le milieu traditionnel l'amour est toujours

1. P. 43-44.
2. P. 74.
3. P. 21-22.
4. P. 26.

conçu — même par les jeunes gens — comme devant aboutir au mariage. On doit cependant signaler un cas tout à fait à part : celui de la « courtoisie » sénégalaise. Deux romans écrits par des auteurs sénégalais, *Karim* et *Maïmouna*, nous dépeignent longuement tout cet ensemble de règles auxquelles doivent se soumettre les amants et qui rappellent l'amour courtois du Moyen Age européen. Karim, le héros d'Ousmane Socé, doit, pour plaire et être agréé, se conduire en authentique « samba linguère », c'est-à-dire en descendant de famille noble. On notera déjà cette impossibilité de s'imposer par sa seule personnalité et ce désir de se définir par référence à une catégorie sociale. On devine bien sûr les conséquences désastreuses sur le plan financier qu'entraîne cette façon de voir... La façon dont l'amoureux va faire la cour à la belle Marième est fort minutieusement décrite par O. Socé. La première entrevue des deux jeunes gens a lieu en présence d'un grand nombre de personnes. Karim en effet s'est fait accompagner par ses meilleurs amis et Marième de son côté a convoqué les siennes. Le prétendant a amené avec lui quelques griots d'élite chargés de chanter l'ascendance glorieuse de l'amoureux. Il s'agit, on le voit, de produire une forte impression et de montrer la considération dont on jouit au sein de la société. De telles réunions vont désormais avoir lieu tous les jours et la générosité de Karim se trouve mise à rude épreuve pour satisfaire les exigences de Marième et de sa mère qui ne se prive pourtant pas de lui rappeler qu'une femme doit faire passer son inclination personnelle après la fortune du prétendant, le seule chose vraiment importante. Car en cas de rivalité, le plus valeureux des deux prétendants serait celui qui regarderait le moins à la dépense. » Nous retrouvons les mêmes règles dans *Maïmouna* mais cette fois l'accent est mis sur la conduite que doit tenir la femme. Abdoulaye Sadji nous décrit les longues soirées que passe Maïmouna avec son prétendant officiel Galaye, tandis que les Diali font retentir les cordes de leurs guitares dans l'air chargé de parfums. Comme le rappelle M. Francis Fouet[1], « Galaye est un amoureux exemplaire » qui est pleinement heureux de ne pas déplaire à celle qu'il courtise. Et tout au long du roman nous redécouvrons cette emprise de la tradition, déjà vue dans *Karim*, qui empêche justement Maïmouna d'épouser Doudou Diouf qu'elle aime en secret. Et lorsqu'ils s'apercevront qu'elle est enceinte et qu'elle n'a pas respecté le code amoureux, son beau-frère et sa belle-sœur la chasseront de Dakar.

---

1. Francis FOUET, *Le thème de l'amour chez les romanciers négro-africains d'expression française (Actes du colloque sur la littérature africaine d'expression française, Dakar, 1963)*, Publications de la Faculté des Lettres, Dakar, 1965.

III. — L'effritement du milieu traditionnel.

Bien que le milieu traditionnel soit fréquemment évoqué, comme nous venons de le voir, il ne semble pas constituer le souci majeur des romanciers négro-africains. Ceux-ci, en effet, éloignés la plupart du temps de toute recherche d'un pittoresque facile, se sont davantage attachés à décrire les transformations de la société ancienne, voire sa destruction, au contact du monde européen, et la naissance d'une nouvelle forme de collectivité en milieu urbain.

Le contact avec le monde européen a parfois — mais rarement — été présenté comme ayant entraîné la destruction du milieu traditionnel. Ainsi Nazi Boni, dans les dernières pages de *Crépuscule des temps anciens*, a évoqué l'effondrement de l'ancienne société du Bwamu, sous les coups de l'envahisseur blanc. Rattachant l'événement à l'ensemble du fait colonial, il écrit dans son avant-propos : « L'invasion du continent noir par les Européens boucla l'ère de l'Afrique spécifiquement africaine. Le colonisateur imposa sa loi. L'Afrique ressentit si douloureusement le coup qu'elle se replia sur elle-même, et subit avant son adaptation au nouveau régime, un recul momentané mais certain. Sa culture reçut un choc, et sa démographie vacilla. Naquit alors une assez longue période d'anomalie et de décivilisation durant laquelle le conquérant jugea le conquis et forgea sa méthode de colonisation dans l'ignorance quasi totale de l'âme nègre »[1]. Mais le récit de Nazi Boni s'arrête au moment de l'invasion et ne nous dit pas ce que deviennent les populations conquises. Aussi, sur ce plan, le roman de Jean Ikellé-Matiba, dont le héros Franz Môhma a vécu les dernières années de l'Afrique de jadis et presque toute le période coloniale — allemande et française — est-il plus intéressant. Le livre décrit la conquête du pays camerounais par les Allemands et l'installation, par les occupants, de chefs locaux. — Beaucoup refusent d'ailleurs, par fierté nationale, ce poste et l'on assiste alors à un repliement sur elles-mêmes des populations nouvellement conquises. Ces dernières vont subir un coup encore plus dur lorsque les Allemands, écrasés par les Alliés, pratiquent la politique de la terre brûlée et n'hésitent pas à massacrer tous ceux qu'ils rencontrent lors de leur retraite. Mongo Béti, dans *Le roi miraculé*, a décrit la fin d'une tribu du Cameroun, les Essazam, en 1948. Il ne s'agit pas cette fois de la destruction des hommes par un conquérant étranger mais de la destruction des structures de la tribu dont l'équilibre est rompu par une faute du vieux

---

1. P. 16.

roi. Le chef Essomba Mendouga, fraîchement converti au catholicisme, a décidé de renoncer pour toujours à la polygamie et de renvoyer toutes ses femmes. Les différents clans auxquels appartiennent les épouses du chef ne l'entendent pas ainsi et une crise grave ébranle la tribu. Sous l'influence de l'administration, attachée autant par idéal laïque que par politique, au système tribal, Mendouga revient sur sa décision mais, comme le souligne Mongo Béti à la fin du roman, on devine que la tribu ne se relèvera pas de cette crise : « Essomba Mendouga redécouvrit les joies de la polygamie et de l'obéissance stricte à l'éthique de la tribu. Et cependant ne le lâcha plus jamais l'obsession de devoir un jour rendre compte de sa vie à Dieu, un être mystérieux plus puissant encore qu'Ahomo (son ancêtre glorieux). Même des années plus tard cette sourde frayeur se muait en panique à chaque douleur ressentie par le chef de la très nombreuse confédération des Essazam : on le voyait, alors, convoquer ses femmes, leur rendre leur liberté, demander à se confesser afin de recevoir la communion et de paraître ainsi au banquet céleste, vêtu de la blanche robe des convives de Dieu »[1].

Mais si l'on examine l'ensemble de la production romanesque, c'est davantage de modification du milieu traditionnel, brutalement mis en contact avec des notions inconnues de lui jusqu'alors, que de destruction de ce milieu qu'il faut parler. Les romanciers soulignent en général combien la cohésion de l'ancienne collectivité reste forte. Nous l'avons noté en particulier lorsque nous avons étudié la naissance, l'éducation, le mariage. Cependant le milieu traditionnel doit désormais compter avec des éléments nouveaux apportés par l'occupant, et qu'il nous faut maintenant évoquer.

Le fait le plus frappant est d'abord l'implantation d'une administration nouvelle. Celle-ci n'est pas entièrement européenne : elle a des autochtones dans ses rangs et installe un peu partout des chefs locaux qui lui sont dévoués et dont la fonction essentielle est de collecter l'impôt. Le chef du village concrétise le changement de situation et il n'est guère de romans où il ne soit évoqué avec, entre autres tares, la luxure et la cupidité.

En mettant en scène dans *Mission terminée* un chef de village qui se garde bien d'annoncer à ses administrés les dispositions de la constitution de 1946 pour conserver la puissance dont il avait joui avant cette réforme, Mongo Béti ne fait que reprendre un thème cher à René Maran lorsqu'il écrivait *Batouala*. L'administrateur et ses séides vont donner aussi à l'habitant une idée encore plus précise du pouvoir détenu par l'occupant lorsqu'ils décident de limiter la liberté de la population ou d'imposer le travail forcé. Nombreux sont les romans

---

1. P. 250-251.

qui évoquent cette institution de sinistre mémoire : *Vers de nouveaux horizons*, *Le pauvre Christ de Bomba*, et surtout *Cette Afrique-là* qui retrace dans ses dernières pages la vie du héros dans un camp de travail, réplique tropicale des camps de la mort.

Beaucoup de romanciers ont évoqué également l'évolution qui se produit dans les esprits à la suite de ce contact avec l'Européen. C'est ainsi qu'on décèle par moment une façon différente de voir le passé. Pour la première fois une rupture s'est produite dans l'histoire de la collectivité. La période actuelle s'oppose désormais à la période d'avant la colonisation. Cette rupture se traduit notamment par une valorisation systématique du passé et un attachement très fort aux coutumes ancestrales. Les vieux se plaisent à évoquer devant les générations actuelles cet âge d'or dont ils ont vu la fin.

C'est ainsi que, dans *Sous l'orage*, le père Djigui fait l'éloge de l'éducation traditionnelle qui formait le caractère des jeunes gens et leur apprenait les liens qui les unissaient au monde invisible.

Il dira, par exemple, à son neveu Birama effrayé par un lézard qu'il s'apprête à tuer avec une hache : « Tu es fou ! Le lézard fait partie de notre famille. » Et il ajoute, à propos de la nouvelle éducation reçue par les jeunes à l'école européenne : « La vérité est qu'ils ne voient plus les choses anciennes. Le Blanc leur apprend les écrits, pas autre chose[1]. » De même, dans *Dramouss*, nous voyons un cordonnier comparer les anciennes conditions de travail de l'artisan avec celles d'aujourd'hui. Il s'agit là encore d'un regret du passé ; mais au lieu de se contenter de cette vague nostalgie qui n'est guère qu'un lieu commun de discussion, le personnage essaie d'expliquer son point de vue en faisant intervenir certaines données économiques qui ont effectivement modifié la production locale. Les artisans d'aujourd'hui ne peuvent plus soutenir la concurrence avec les Européens qui envahissent le marché local de produits manufacturés peu coûteux. Le narrateur revenu chez lui après un long séjour en France croit lire dans le « regard haineux » du cordonnier à qui il voulait acheter du « croco » : « Non il n'y a rien... Depuis que les Libanais ont apporté de la camelote dix fois moins chère que nos sacs en croco, nos clients ont disparu. Et nous, nous n'avons plus rien à faire que rapiécer de vieilles chaussures... Nous sommes tous tourmentés par ces Libanais qui apportent de la camelote brillante, que nos femmes préfèrent, à cause de la différence de prix. Elles voudraient qu'on leur vende du croco au même prix que la camelote. Or il faut aller à la chasse, tuer le crocodile, en tanner la peau et enfin la travailler à la main. Cela revient cher. »

Ainsi, le contact avec le monde européen n'entraîne pas seulement une modification de l'équilibre économique traditionnel, mais il est

---

1. P. 40.

aussi perçu comme devant amener un effritement des valeurs morales qui s'attachent depuis toujours au travail bien fait. Le vrai mérite n'est plus reconnu.

IV. — LES NOUVELLES FORMES DE LA COLLECTIVITÉ D'APRÈS LE ROMAN.

  A. *L'administrateur et les chefs de villages.*
  Climat policier. Tracasseries. Vie difficile.

D'une façon générale les romanciers se sont efforcés de montrer que le système colonial, loin de détruire le sens profond de la collectivité chez les Africains, l'a seulement modifié et même parfois plutôt renforcé en faisant naître chez les Africains une « conscience de classe ». Beaucoup ont insisté d'abord sur les bouleversements apportés par les Blancs à la hiérarchie traditionnelle. Le pouvoir de ces derniers est incarné par l'administrateur, personnage qu'on retrouve dans presque tous les romans. Jean Ikellé-Matiba dans *Cette Afrique-là*, et Mongo Béti, dans *Le roi miraculé*, *Le pauvre Christ de Bomba* et *Mission terminée*, Ferdinand Oyono dans *Une vie de boy* et *Le vieux nègre et la médaille*, lui ont consacré de nombreuses pages. C'est cependant chez Mongo Béti qu'on trouve la meilleure description du rôle de l'administrateur. Dans *Le roi miraculé*, en particulier, nous assistons aux efforts de Lequeux et Palmieri pour résoudre la crise qui menace la tribu des Essazam depuis que le vieux chef, sous l'influence du Père Le Guen, a décidé de renoncer à la polygamie. Les autorités administratives s'attachent à maintenir les anciens particularismes tribaux qui, selon Mongo Béti, empêchent la prise de conscience politique des populations colonisées. Mais l'administrateur blanc n'est pas la seule incarnation de la nouvelle autorité. Celle-ci a dû installer un peu partout des chefs locaux dont la « collaboration » avec la puissance occupante suscite l'hostilité des autochtones. Dans *Mission terminée*, Mongo Béti nous présente un chef de canton sous les traits suivants : « Le chef de canton de chez nous était une sorte de vieux vicieux qui, malgré son âge, possédait les six plus belles femmes de la région et s'apprêtait à en acquérir d'autres. Il jouissait, comme la plupart des chefs, d'une position très forte dans le pays : presque riche, habitant une villa imposante, compte tenu du niveau de vie général, adulé par l'administration coloniale qui l'avait nommé, sûr de n'être jamais révoqué par cette administration à laquelle il obéissait comme un robot idéal, redouté de tous par suite de ses trahisons à l'époque des travaux forcés, bafouant la hiérarchie traditionnelle de notre tribu quand il n'en avait pas besoin pour ses manigances... »[1]. Plus loin, l'auteur évoquera un chef

---

1. *Mission terminée*, p. 34.

de village qui pour arriver à ses fins, usait de « procédés dont la coloration variait entre deux extrêmes : le rose clair de la pression basée sur le chantage à l'amitié, à la fraternité, au sentiment de l'honneur et du patriotisme qui doit pousser tout bon citoyen à porter assistance à son souverain si celui-ci risque de perdre la face devant sa belle tribu ; le noir très brouillé de l'intimidation obtenu par les menaces de brimades administratives »[1]. Jean Ikellé-Matiba, dans *Cette Afrique-là*, a lui aussi évoqué les chefs locaux mis en place par les Allemands au Cameroun, mais en insistant surtout sur l'absence d'autorité réelle de ces chefs. Les vieilles familles répugnant à servir l'occupant, celui-ci dut se contenter d'un « ramassis d'hommes pour la plupart anciens esclaves », incapables de s'imposer par leur propre personnalité : « la plupart de nos dirigeants, ajoute l'auteur, sortent des bas-fonds de la société ; c'est pourquoi leur autorité est si insupportable, accumulant bévues, sottises et maladroite insolence »[2].

L'emprise du colonisateur sur le pays se concrétise par toute une série de mesures qui, comme beaucoup de romanciers l'ont montré, créent un climat sinon de terreur, du moins d'insécurité permanente. Ajoutons cependant que les œuvres qui évoquent cette atmosphère étouffante se situent entre les débuts de la colonisation et 1946.

Plusieurs écrivains ont décrit un véritable univers policier, dans lequel l'impôt, malgré les excès des collecteurs, apparaît comme le mal le plus supportable, dans la mesure où il reste « légal ». Hélas, il y a quelquefois pire : dans *Afrique, nous t'ignorons*, Benjamin Matip évoque les dangers que fait peser sur les habitants de Bidoé la menace de la conscription, car, depuis quelque temps, des rumeurs de guerre en Europe semblent se confirmer. Jean Ikellé-Matiba retrace, dans *Cette Afrique-là*, certains épisodes de la première guerre mondiale au Cameroun et rappelle les sacrifices inhumains que les belligérants imposaient aux soldats africains mobilisés à leurs côtés. D'autres auteurs ont mis en scène des personnages traumatisés par la guerre et pour qui la vie ne peut plus avoir de saveur. Ainsi, Houngbé, le héros de deux romans d'Olympe Bhêly-Quénum, *Un piège sans fin* et *Le chant du lac*, que l'on a sorti de prison pour l'envoyer faire la guerre en Europe, s'écrie au moment de mourir sur le bateau qui le ramène en Afrique : « Je ne suis plus le même homme. Ma jeunesse morte en Afrique a été enterrée en France »[3]. Quant à Tanor Ngoné Diob, le héros de la nouvelle Sembène Ousmane, *Véhi-Ciosane*, il se croit

1. *Mission terminée*, p. 178.
2. Cette évocation des chefs locaux ne serait pas complète si l'on oubliait le féroce portrait que trace Oyono, dans *Une vie de boy*, d'Akoma et de Menguème. L'un est stupide et grand ami de la France. L'autre déteste les Blancs qui ont tué « son frère cadet, mort pour les Allemands contre les Français et ses deux jeunes fils, morts pour les Français contre les Allemands » !
3. *Le chant du lac*, p. 21.

encore en Indochine et lorsque le cordonnier lui demande s'il a bien dormi, l'ancien militaire lui répond : « J'étais de garde. Il y avait de partout des Viets ! »[1].

A côté de la menace de la conscription se profile souvent celle du travail forcé. Jean Ikellé-Matiba et Denis Oussou-Essui, dans *Cette Afrique-là* et *Vers de nouveaux horizons*, ont évoqué la misérable condition des déportés. *Le pauvre Christ de Bomba* contient également de nombreuses pages sur le même thème, mais Mongo Béti montre peut-être davantage le lien qui existe entre le fait colonial et cette forme d'exploitation. En effet, la construction d'une route carrossable dans une région où les habitants ne possèdent pas de véhicules, n'est-elle pas la preuve que la mise en valeur du pays ne se fait qu'au profit de l'occupant ?

Ce dernier rappelle encore constamment sa présence par les multiples tracasseries policières et administratives qu'il impose aux populations. Chez nombre de romanciers les arrestations arbitraires ne manquent pas. C'est ainsi que Jean Malonga, dans *Cœur d'aryenne*, nous raconte comment à Brazzaville une descente de police vient interrompre de façon brutale le repas que Mambeké offre chez son oncle à la jeune Solange qu'il aime depuis son enfance. L'univers de la prison, ce bâtiment typique de toute ville coloniale, a été également évoqué avec beaucoup de force par Ferdinand Oyono, dans *Une vie de boy* et Olympe Bhêly-Quénum, dans *Un piège sans fin*. Le malheureux Toundi emprisonné pour avoir été le témoin involontaire de la liaison de la femme du Commandant et de M. Moreau, le régisseur de la prison, mourra lentement victime des traitements que Gosier d'Oiseau et ses aides lui infligeront. Ahouna, le héros du roman d'Olympe Bhêly-Quénum, découvre lui aussi la prison où des cellules spacieuses sont réservées aux Blancs tandis que les Noirs doivent se contenter de misérables cachots ; et, comme Toundi, il doit travailler sous la chicotte, aux sinistres carrières de Gonmê, où, sous ses yeux, plusieurs de ses compagnons trouveront une mort affreuse.

D'autres auteurs ont insisté sur les difficultés quotidiennes rencontrées par les habitants lors des multiples contacts avec l'administration. Jean Ikellé-Matiba notamment, dans *Cette Afrique-là*, fait raconter dans une lettre adressée au narrateur par un employé de l'administration, la vie dans les bureaux et les rapports avec le public indigène. Comme le constate avec amertume Joan : « Le fonctionnaire de ces temps est devenu plus affreux que ces bourgeois de l'époque de la naissance du machinisme dont on nous parlait à l'école. Il extorque de l'argent aux indigents, aux vieilles femmes sans soutien, aux infirmes, aux lépreux et jusqu'aux mourants... Vous ne pouvez pas être reçu dans un bureau public si vous n'avez pas vu le chef de nuit... J'ai

---

1. *Véhi-Ciosane*, p. 64-65.

vu de vieilles femmes pleurer parce qu'elles n'avaient pas de quoi payer. On leur arrachait la peau »[1].

La collectivité africaine n'est pas seulement brimée par l'autorité européenne « légale ». Elle se heurte, comme l'ont souligné la plupart des romanciers, aux pires difficultés dès qu'il s'agit d'assurer sa subsistance.

En brousse, comme on l'a vu, l'impôt constitue une charge supplémentaire pour les paysans, tandis que les artisans se trouvent de plus en plus sérieusement concurrencés par l'industrie européenne qui peut produire davantage d'objets à meilleur marché. On se souvient des récriminations du cordonnier au narrateur de *Dramouss*. D'autre part, les paysans, pour écouler leur marchandise, doivent passer par l'intermédiaire d'organismes de contrôle dont plusieurs auteurs ont dénoncé l'arbitraire et l'iniquité. C'est ainsi que le jeune Banda, le héros du roman de Mongo Béti, *Ville cruelle*, est victime du fonctionnaire chargé d'examiner la qualité du cacao qu'on lui apporte. Ce dernier ordonne de brûler la récolte de Banda dont le cacao est pourtant parfait mais, en réalité, le contrôleur, sous prétexte de détruire le cacao de mauvaise qualité, se constitue un stock personnel dont le vente lui procurera des bénéfices importants[2]. Dans *Afrique, nous t'ignorons*, Benjamin Matip a montré l'exploitation des paysans illettrés par le commerçant de la ville, qui n'hésite pas, en leur achetant leurs produits, à tricher sur la pesée et les comptes. Mais pour une fois avec Samuel qui sait lire et compter, Robert se voit obligé de payer le juste prix. Le commerçant apparaît donc la plupart du temps comme un personnage très puissant et écouté de l'administration coloniale. Nous voyons ainsi dans le roman de Benjamin Matip, Robert, le commerçant menacer en ces termes Samuel qui a osé le tutoyer : « Il me suffirait d'un simple geste, un mot pour te coffrer et faire raser ton village, ratisser toutes vos bicoques »[3].

Tandis que les paysans doivent subir les lois que leur impose le commerce européen, les autres travailleurs ne connaissent guère un sort meilleur. La plupart se trouvent condamnés à des tâches subalternes. Les travailleurs « au rabais » ne manquent pas dans l'univers que nous présente le roman africain : boys comme Toundi, le héros d'*Une vie de boy*, porteurs dans les gares ou vendeurs de cigarettes qui hantent

---

1. P. 183. L'incompréhension de l'administration a été remarquablement décrite par Sembène Ousmane dans une longue Nouvelle, *Le mandat*, dont l'action se situe à Dakar quelques années après l'indépendance. L'auteur dénonce la vénalité et le népotisme mais insiste surtout sur l'absurdité des démarches à faire, dont le héros ne voit ni le mécanisme ni la raison.
2. Dans *Afrique, nous t'ignorons*, nous retrouvons une scène semblable. La longue file d'attente des paysans est soumise au bon vouloir de « l'agent d'inspection des produits indigènes » (p. 22).
3. P. 29.

le roman de N. G. M. Faye, *Le débrouillard*, employés dans le commerce ou l'administration qu'a dépeints Bernard Dadié dans *Climbié* ou Cheikh Dia dans *Avant Liberté I*. Cependant, le roman le plus intéressant sur la vie de cette catégorie de travailleurs venus à la ville dans l'espoir de faire fortune et qui connaissent de longues périodes de chômage est sans aucun doute *Le débrouillard*. Dans ce livre, N. G. M. Faye a raconté avec émotion et humour les multiples épisodes de sa vie aventureuse. Fuyant un père qui l'exploite et le maltraite, il va d'une ville à l'autre du Sénégal en exerçant les métiers les plus divers : porteur, vendeur de photographies, vendeur de noix, colleur d'affiches. Mais la chance lui sourit. Inscrit dans un club de boxe, il se fait remarquer et devient rapidement champion de l'A.O.F. et va disputer des matchs jusqu'à Paris, où il a le bonheur de connaître un cinéaste, François Reichenbach, qui fera de lui le héros de son film *Un cœur gros comme ça*.

L'optimisme qui anime le narrateur tout au long de sa vie et qui s'explique par la réussite finale, ne doit pas nous faire oublier le monde de parias que connut Faye pendant plusieurs années. Ils furent nombreux, les jours où le héros ne dut compter pour manger que sur la charité des passants qu'il rencontrait. Ces quelques lignes sur sa vie à Saint-Louis suffiront à donner le ton : « J'étais sans adresse. Ce soir je couchais ici, demain soir je couchais autre part. C'est pour cela que jamais je n'étais pressé de voir se coucher le soleil. Car la journée ça allait bien. Mais le soir, les puces m'attendaient dans les coins sombres »[1].

B. *L'oppression culturelle : la religion et l'école.*

A la peinture de l'oppression sociale s'ajoute, dans beaucoup de romans, celle de l'oppression culturelle. L'une comme l'autre en suscitant une prise de conscience, voire une résistance directe, peuvent renforcer singulièrement la collectivité africaine.

De nombreux auteurs nous rappellent que les Européens ont d'abord cherché à imposer leur religion. Cette attitude dans l'ensemble a été sévèrement jugée, même par des romanciers catholiques et la position de David Ananou, qui, dans la préface de son roman *Le fils du fétiche*, qualifie de « mal guérissable » la religion fétichiste du Togo et rend « hommage aux Puissances civilisatrices qui ont accompli et continuent d'accomplir de grandes œuvres en Afrique » reste exceptionnelle. Les reproches adressés à la nouvelle religion sont de deux sortes. Beaucoup d'abord ne voient pas la différence qui peut exister entre les religions traditionnelles et la religion chrétienne — qu'elle soit d'ailleurs catholique ou protestante.

1. P. 48.

Dans *Ville cruelle*, Mongo Béti expose ainsi le point de vue de l'oncle du jeune Banda à la mère de l'adolescent venue l'interroger sur l'assiduité de son fils aux offices de piété : « Il n'avait jamais été baptisé, lui, disait-il ; il comptait du reste ne l'être jamais, et il ne s'en portait pas plus mal. Est-ce que la meilleure façon d'élever un gosse ce n'était pas de lui donner à manger et de le laisser tranquille ? Et qu'il cause ou dorme, ou rie, ou pleure quand il lui plaît : ça c'était la meilleure façon d'élever un gosse, un garçon surtout... Tout au plus concevait-il qu'on le mette à l'école pour apprendre la langue des Blancs puisque après tout ces gens-là étaient bien les maîtres du pays. Mais le catéchisme, la messe, le chapelet, la confesse, les prières du matin et du soir, et les autres lubies, à quoi diantre cela rimait-il ? Sa sœur se comportait comme si la religion avait été une chose nouvelle... Et leurs ancêtres, ceux qui vivaient dans un pays où il n'y avait pas encore de Blancs, ni de missionnaires, ni de Bonnes Sœurs, ni d'églises, ni de cloches ; leurs ancêtres, avant l'arrivée des Blancs, est-ce qu'ils ne croyaient pas en Dieu, eux... ? »[1].

Mongo Beti reprendra cette idée dans *Le pauvre Christ de Bomba* lorsque Zacharie, le cuisinier de la mission explique au R.P. S. Drumont les raisons de son échec auprès des populations auxquelles il prêche la bonne nouvelle depuis vingt ans : « Les premiers d'entre nous qui sont accourus à la religion, à votre religion y sont venus comme à une école où ils acquerraient la révélation de votre secret — le secret de votre force, la force de vos avions, de vos chemins de fer, le secret de votre mystère... Au lieu de cela, vous vous êtes mis à parler de Dieu, de l'âme, de la vie éternelle, etc... Est-ce que vous vous imaginez qu'ils ne connaissaient pas tout cela avant, bien avant votre arrivée ? »

D'autre part le contenu même de la nouvelle religion reste souvent obscur aux néophytes. C'est ainsi que Zachée, le catéchiste du roman de Benjamin Matip *Afrique, nous t'ignorons*, reste perplexe devant certaines formules de l'Évangile comme : « Laissez les morts enterrer les morts » ou « heureux les pauvres d'esprit, car le royaume des cieux est à eux » et que Banda, le jeune héros de *Ville cruelle*, écoutant un sermon sur le bon Samaritain, ne comprend pas qu'on accorde « plus d'importance au bon Samaritain qui, lui, avait seulement soigné le blessé, qu'au blessé lui-même ». Et l'auteur ajoute : « Pour Banda, c'est plutôt l'homme qui avait été agressé et blessé par les bandits qui présentait le plus grand intérêt dramatique, le plus de possibilités émotionnelles. Tandis que le bon Samaritain... peuh ! est-ce que ce n'était pas à la portée de la moindre femme de Bamila de soigner un blessé ? »[2].

---

1. Mongo BÉTI, *Ville cruelle*, p. 152-153.
2. *Ibid.*, p. 159.

Les critiques de ce genre, portant sur le contenu même de la nouvelle religion, restent cependant assez rares. Ce qu'on reproche au christianisme dans de nombreuses œuvres, c'est essentiellement la collusion qui paraît s'établir entre le pouvoir et la religion qui devient ainsi, « aux yeux des autochtones, corollaire du colonialisme et de ses contraintes »[1]. Le rôle temporel de la nouvelle religion a été souligné à maintes reprises par les écrivains. La puissance matérielle est déjà visible dans les bâtiments des missions dont les constructions « en dur » contrastent singulièrement avec les cases légères des paysans de la brousse. On devine bien, d'après les descriptions que nous donne Mongo Béti de la mission de Bomba, Benjamin Matip de la mission de Galan ou de Bidoé, qu'un rapprochement insidieux risque de se produire dans l'esprit du villageois entre les riches bâtiments qu'il a sous les yeux et d'autres qu'il a pu voir à la ville voisine dans le quartier de la « Résidence » ou au « Centre commercial »... Installée dans des locaux de type administratif, la religion européenne est en fait considérée parfois comme une administration avec ses règlements particuliers et ses lubies qu'on est bien obligé de subir.

Parmi celles-ci on retiendra la collecte du denier du culte, qui amène les gens à faire un parallèle fâcheux avec une autre dont ils se plaignent, et surtout la lutte ouverte contre la polygamie. Dans *Le pauvre Christ de Bomba*, Mongo Béti se fait l'interprète de ses concitoyens en dénonçant l'activité missionnaire du Père Drumont et de ses compagnons. Il attaque notamment avec violence l'institution de la « Sixa » dont il nous explique dans une note savoureuse le fonctionnement : « Dans chaque mission catholique du Sud-Cameroun, il existe une maison qui abrite, en principe, des jeunes filles fiancées : c'est la sixa. Toute femme indigène désirant se marier conformément à l'orthodoxie catholique romaine doit effectuer un séjour à la sixa pouvant varier de deux à quatre mois, compte tenu des cas extraordinaires qui sont nombreux. Les défenseurs de l'institution proclament son utilité, sinon sa nécessité : ne prépare-t-elle pas les femmes à leur rôle de mère de familles chrétiennes ? Cette justification est, bien entendu, contestée par d'autres. Ce qui est certain, c'est que les pensionnaires de la sixa sont astreintes chaque jour à des travaux manuels de plus de dix heures. » Dans ce domaine, l'action des missionnaires peut même aller jusqu'à intervenir, s'ils le jugent nécessaire, dans les affaires politiques du pays. On se souvient par exemple du coup fatal porté à la tribu des Essazam, dans *Le roi miraculé*, par la « conversion » du chef, décision qui remit en question l'équilibre des clans alliés au « Roi ».

---

1. Charles DOBZINSKI, *Lettres Françaises*, 26 mai 1956, à propos du *Pauvre Christ de Bomba*.

Cependant si la religion européenne tend, dans l'esprit des autochtones, à se confondre avec le pouvoir colonial, c'est moins parce qu'elle mène une action temporelle évidente, comme on vient de le voir, que parce qu'elle semble, presque à tous moments, soutenir et défendre par son enseignement les prérogatives de l'occupant. Benjamin Matip, Jean Malonga et Mongo Béti ont exposé avec force ce point de vue. Ces trois auteurs ont parlé à plusieurs reprises de l'idéal moral proposé aux « indigènes » et ont souligné une fâcheuse tendance à ramener la vertu au respect du pouvoir établi. Dans *Cœur d'aryenne*, la petite Solange, la fille d'un colon irascible et raciste, a réussi à assister, à l'insu du Père Hux, à la leçon de catéchisme réservée aux jeunes Africains : « Elle va se cacher derrière un bananier pour écouter tout ce qui se dit dans le hangar incommode. Oh ! surprise... Ici, il n'y a que contre-vérités, contradictions flagrantes avec les « vérités théologales » qui lui sont inculquées à elle en français et ce qui se dispense ici en idiome local que Solange parle très bien. Ahurie, elle remarque qu'à part les prières traduites en likouba il n'existe aucune analogie avec les « dogmes sacrés » qu'on lui enseigne et ceux versés aux petits Noirs. Qu'est-ce que cela veut dire, se demande la fillette. Il y a donc un Dieu blanc et un autre noir, une « Révélation divine » pour le Blanc et une autre pour le Noir ?... Elle est bouleversée par ce qu'elle vient d'entendre et de voir : différence d'enseignements, des enfants blêmes, terrorisés et abrutis par l'intolérable peur de l'Enfer éternel où les attend la vengeance d'un Dieu inexorable... »[1]. Ainsi, un châtiment éternel attend les pécheurs d'ici-bas mais il convient de préciser la notion de faute si l'on veut donner une idée complète de ce credo spécial adapté à l'Afrique. Le pécheur, d'après cette nouvelle religion, est celui qui tente de porter atteinte à l'autorité des Blancs ou aux biens matériels qu'ils détiennent. Là-dessus, le Père Hux est catégorique lorsqu'il gronde la petite Solange qui a osé faire une promenade en pirogue avec le jeune Mambéké, le fils de son cuisinier : « Non, réellement, je ne peux pas arriver à te comprendre. Oublies-tu donc que tu es une Blanche, une maîtresse pour tous les nègres quels qu'ils soient ? Il faut savoir garder ses distances, que diable ! »[2]. De même, le « Commandant », dans *Une vie de boy*, se montre très satisfait en engageant Toundi qui est chrétien, car il peut aussitôt agiter devant son nouveau boy le spectre de l'Enfer. Dans *Ville cruelle* également, un prêtre rappelle dans son sermon dominical qu'une preuve de l'amour du prochain consiste à respecter le bien de ce dernier. Et l'orateur sacré d'ajouter : « Jésus, lui-même, notre maître à tous, ne vécut-il pas sur terre ? Et quoique pauvre, toucha-t-il jamais au bien d'autrui ? Combien les

---

1. *Cœur d'aryenne*, p. 171.
2. *Ibid.*, p. 170.

hommes s'éviteraient de malheurs, de querelles, de disputes, de palabres s'ils prenaient exemple sur notre Seigneur Jésus-Christ dans leur vie quotidienne ! Mais au lieu de cela que font-ils ? Ils couchent avec les femmes des autres. Ils battent leurs patrons et volent leur argent. Que ne méditent-ils sur les années d'apprentissage de l'Enfant Jésus dans l'atelier de Joseph son père ?... »[1].

La collusion dont nous parlions entre la religion et le système colonial trouve certainement son expression la plus parfaite dans *Le pauvre Christ de Bomba* et *Afrique, nous t'ignorons*. On connaît le sujet de ce dernier roman : alors que des rumeurs circulent, relatives à un conflit qui ravagerait l'Europe — nous sommes à la fin de 1939 — les habitants d'un petit village du Cameroun cherchent à vérifier la véracité des bruits qui courent. La position des religieux — protestants ou catholiques — est alors la même que celle des commerçants : il faut à tout prix que la population ignore ce qui se passe en Europe, car l'annonce de la guerre risquerait fort d'entraîner une révolte des autochtones. A Zachée venu l'interroger, le Père William n'hésite pas à faire ce pieux mensonge : « Dis-moi, Zachée, qui est-ce qui vous a raconté ces choses à Bidoé ? Vous n'avez pas à vous mêler de ces histoires-là. Crois-moi, ça vaut beaucoup mieux... Vous n'avez pas à vous alarmer : il n'y a pas de guerre. Et d'ailleurs la guerre ici dans votre brousse ?... »[2].

Quant au Père Drumont, le héros du *Pauvre Christ de Bomba*, il laisse entendre aux populations dont il a la charge qu'il existe un lien quasi providentiel entre l'abandon des pratiques religieuses catholiques et la réquisition des hommes pour construire la route. Et cette épreuve est considérée comme une chance unique de salut pour ceux qui se sont égarés.

On se souvient que le Père effectue la visite d'une région qu'il a négligée depuis quelque temps déjà, le pays Tala. Dès la première étape, à Mombel, il se rend compte à quel point l' « impiété » de ces gens-là est grande et Denis qui l'accompagne dans cette tournée, se fait l'écho dans son journal des sombres réflexions de son maître : « Nombreux sont ceux des chrétiens qui ont pris une deuxième femme, quand ce n'est pas une troisième. Seuls les petits enfants viennent encore au catéchisme le mercredi matin. Tout le pays est pourri. En dehors des femmes d'un certain âge, personne ne paie plus le denier du culte. Ils ont pourtant vendu du cacao, cette année ! On dirait que plus ils ont d'argent et moins ils songent à Dieu. Une bicyclette, un phonographe, des assiettes de faïence, des chaussures de cuir, voilà leurs seules préoccupations. Mais, sacré nom ! à quoi leur sert tout

---

1. *Ville cruelle*, p. 160.
2. *Afrique, nous t'ignorons*, p. 61.

cela ? Il l'a dit plusieurs fois en frappant du poing sur la table. A mon avis, Dieu lui-même devrait envoyer un signe à ces gens pour les remettre dans la bonne voie, un malheur collectif ou... je ne sais pas, moi, quelque chose d'exemplaire. »

De même que la religion, l'école est souvent présentée comme une autre forme de l'oppression culturelle. Cependant on remarquera que les auteurs se montrent moins frappés par le contenu de l'enseignement qui y est donné que par le recrutement des élèves et la discipline à laquelle ils sont astreints. Vue sous cet angle, l'école apparaît en effet comme une institution du même type que toutes celles mises en place par les Européens et qui constituent l'armature du système colonial. L'aspect contraignant de l'école a été maintes fois évoqué.

On trouve ainsi des pages intéressantes dans *Cette Afrique-là* de Jean Ikellé-Matiba sur la discipline des écoles allemandes du Cameroun au début de ce siècle. Bernard Dadié dans un roman autobiographique, *Climbié*, décrit lui aussi l'atmosphère qu'il trouva à l'école. Il rappelle notamment qu'il était absolument interdit de parler une autre langue que le français. L'élève surpris à parler une langue vernaculaire se voyait remettre un objet quelconque appelé « symbole ». Le porteur du « symbole » s'empressait à son tour de surprendre un délinquant pour pouvoir se débarrasser de cette marque honteuse. Ces quelques lignes donneront une idée du climat de suspicion qui régnait dans l'école : « Couché dans le sable, (Climbié) feint de dormir. Les autres viennent, un par un, groupe par groupe, bavards. Climbié est à l'affût d'un délinquant. Que dit celui-ci ? Mais ça y est ! Akroman, un des gringalets qui tantôt sautillait le plus autour de lui, vient de répondre en N'Zima à un de ses frères venu à la barrière. Climbié sans rien dire se lève et lui tend le petit cube. L'autre sursaute. Climbié sourit et s'en va jouer aussi. Il respire enfin »[1].

Certains rappellent que le maître d'école se conduisait plus en tyran qu'en véritable éducateur. Le narrateur de *L'enfant noir* nous raconte ainsi comment les élèves étaient les boys de l'instituteur. Les punitions consistaient la plupart du temps à s'occuper du jardin ou du troupeau du « maître ». D'autres auteurs, enfin, insistent sur les difficultés rencontrées par l'écolier lorsqu'il se trouve confronté avec ses camarades. Dans la première école qu'il fréquente, « l'Enfant noir » s'aperçoit que ce sont les grands qui font la loi tandis que Koikou, dans le roman de Raphaël Atta Koffi, *Les dernières paroles de Koimé* et Georges, dans *Vers de nouveaux horizons* de Denis Oussou-Essui, se voient dénoncés par des camarades jaloux de leurs succès scolaires. Il ne faudrait pas cependant exagérer la portée des faits que nous venons de signaler. Dans bien des cas il s'agit davantage des problèmes de l'enfance en

---

1. *Climbié*, p. 109.

général que de l'Africain découvrant un aspect de la vie coloniale. D'autant plus que les souvenirs heureux ne manquent pas... Quant aux critiques sur le contenu de l'enseignement dispensé, elles restent rares et générales. Dans *Sous l'orage*, Seydou Badian se plaît à opposer l'instruction donnée par l'école moderne à l'éducation et l'art de vivre qu'apprenaient autrefois les jeunes gens dans la société traditionnelle mais le parallèle fait plutôt figure d'un thème obligé. La seule critique sérieuse se trouve dans *Mission terminée* de Mongo Béti. Le narrateur, Jean-Marie Medza, en vacances dans son village natal est invité à parler de ce qu'il a appris au lycée au cours de l'année scolaire. Il fait un exposé brillant et détaillé sur la Russie, mais pour ne pas décevoir un auditoire avide de savoir il a été obligé de faire un roman. Il s'avoue à lui-même : « C'est fou ce que les connaissances de collège sont illusoires... Moi qui étais presque fier de ce que j'avais appris pendant toute cette année scolaire, voilà qu'à la première vérification réelle de mes connaissances, celles de la vie même, et non celles factices de l'examen, je découvrais des trous énormes dans mon petit royaume, trous que j'essayais de colmater désespérément, en mettant mon imagination à rude épreuve. Pourtant si j'avais eu la Russie à l'oral de mon baccalauréat, je m'en serais bien sorti — de l'oral, non de la Russie ! Il y a donc une sorte de complicité, une sorte d'accord tacite entre l'examinateur le plus sévère et le candidat ? Au fond cette complicité ne serait-elle pas réalisée sur cette base implicite, et dont au moins le professeur est conscient, que les connaissances de l'un et de l'autre sont illusoires à des degrés différents ?... C'est bien la peine, me disais-je, de gâcher la jeunesse de pauvres bougres si c'est pour les entretenir des années durant de choses approximatives »[1].

La critique est solide, mais, comme on a pu le voir, cet enseignement est contesté par Mongo Béti uniquement parce qu'il ne prépare pas l'enfant à la vie de l'adulte et non parce qu'il appartient aux institutions créées par le colonisateur. L'école, chez les autres auteurs, n'est guère critiquée car elle est surtout considérée comme un moyen pour les autochtones de se hisser au même rang que l'occupant.

C. *La réaction de la collectivité.*

Après avoir évoqué les différentes formes d'oppression auxquelles furent soumises les populations locales et dont les romanciers nous ont fait le tableau, oppressions politique et culturelle, il nous faut rappeler comment les écrivains ont décrit la réaction des autochtones.

Confrontés brusquement avec les Blancs, les Noirs pour la première fois se sentent différents et cette prise de conscience va donner à la

---

1. *Mission terminée*, p. 100.

collectivité une direction nouvelle. Aux liens organiques qui assuraient la vie de l'ancienne collectivité et dont bien des éléments subsistent encore, s'ajoute désormais une solidarité de classe. L'attitude de la collectivité dès lors devient une sorte de réponse à la place que le colonisateur assigne au colonisé. Nous allons essayer de voir de quelle façon le roman traduit *l'état d'esprit* de la collectivité opprimée.

L'opposition radicale entre les deux groupes sociaux, les Blancs et les Noirs, est souvent évoquée. Cependant si les situations décrites attestent la force de cette opposition, en revanche peu de romanciers cherchent à exprimer la conscience que les colonisés peuvent avoir de cette antinomie irréductible. Dans *Vers de nouveaux horizons*, Denis Oussou-Essui nous peint les sentiments éprouvés par Charles au moment où il doit rendre visite à un directeur d'école européen, pour inscrire son jeune frère : « Bien sûr, Charles avait entendu dire du bien du directeur de l'école qui était un Blanc, mais avec « ces gens-là, il faut toujours se mettre sur ses gardes, prêt à s'enfuir au besoin, car on ne peut jamais savoir ce qui peut leur passer par la tête pour te traiter de maraudeur et te flanquer en tôle [sic] », pensait Charles sous l'empire de la peur que lui imposaient les imposants bâtiments. A vrai dire, il n'avait jamais eu affaire directement aux Européens, n'ayant travaillé autrefois que chez des Syriens, mais n'avait-il pas assez souffert de l'intolérance de leurs gardes-cercles pour qu'il ne se méfiât pas d'eux ? »[1].

On notera dans ce passage l'idée que le héros se fait des Blancs. Ces derniers constituent une masse indistincte — souvent désignée par le pronom de la troisième personne — et par nature puissants comme le prouvent les bâtiments qu'ils utilisent. On remarquera également une tendance, chez Charles, à rapprocher les Syriens des Européens. Il y a là, implicitement exprimée, une idée qu'on retrouve chez Oyono et Mongo Béti : la solidarité de tous les Blancs. On se souvient par exemple que l'assassinat du commerçant grec, dans *Ville cruelle*, est ressenti par les autorités françaises comme une atteinte personnelle et tous les moyens répressifs dont dispose l'administration seront mis en œuvre pour rechercher les coupables. Le prêtre, lui-même, dans son sermon dominical, adopte ce point de vue et n'hésite pas à prendre la défense du commerçant.

Denis Oussou-Essui insistait surtout sur la puissance des Blancs et leurs droits exorbitants. C'est cet aspect qui est le plus souvent retenu, mais certains insistent également sur le goût des Européens pour l'argent. Mongo Béti, dans *Ville cruelle*, nous fait part d'une méditation de son héros comparant l'autorité des Blancs et des vieux : « Un Blanc ce n'est pas exactement comme un vieux. Un Blanc, c'est d'abord l'argent, beaucoup d'argent, et encore de l'argent... Un Blanc

---

1. *Vers de nouveaux horizons*, p. 115-116.

veut gagner de l'argent, un point c'est tout. Mais un vieillard, c'est beaucoup plus difficile. Il faut l'écouter du matin au soir. Il faut toujours approuver, admirer ce qu'il raconte. Il faut toujours dire qu'il a raison, qu'il est un sage, qu'il a vu le monde entier, qu'il connaît beaucoup de choses, même quand c'est visiblement un imbécile et un gâteux. Non, ça n'est pas vrai : Un Blanc n'est pas exactement comme un vieux. Un ancien de Bamila, par exemple, ça ne voudra jamais gagner de l'argent sur ton dos. L'argent, il n'y attache presque pas d'importance. Il t'en donnerait même s'il en avait ; oui, il t'en donnerait comme ça, pour rien, pourvu que tu l'admires, pourvu que tu vantes sa sagesse, sa perspicacité. Peut-être que parfois il te dira : « Fils, viens m'aider à faire mon champ, je t'en prie. Vois-tu, je vieillis, je n'ai plus de force... » Mais ça c'est légitime, surtout si celui-là n'a pas d'enfant... Tandis qu'un Blanc veut uniquement gagner de l'argent et ensuite retourner dans son pays. Et gare à la chicotte si tu regimbes »[1].

Quelquefois, la manière de considérer les Blancs a quelque chose de livresque. C'est le cas notamment chez des lycéens ou des étudiants comme Jean-Marie Medza, le narrateur de *Mission terminée*.

L'expérience que peut avoir des Blancs ce lycéen de la fin de la période coloniale est indirecte. Il a retenu ce que lui ont dit les siens et les lectures qu'il a pu faire. On ne sent pas dans ses propos sur les Européens cette note particulière que seule peut donner l'expérience vécue. Le jugement qu'il porte sur son père est à cet égard typique : « C'était comme un exemple vivant de ce que le matérialisme mercantile et hypocrite de l'Occident allié à une intelligence fine peut donner de plus admirable, de plus étonnant chez un homme de chez nous appartenant à la génération de nos pères »[2].

Après avoir évoqué les différentes manières dont est ressentie l'opposition fondamentale entre Blancs et Noirs, il nous faut étudier quelle est, d'après le roman, la réaction des gens face à cette situation.

---

1. *Ville cruelle*, p. 131-132.
2. *Mission terminée*, p. 232.

L'opposition entre Blancs et Noirs peut prendre un aspect particulier avec le problème du métis. C'est d'ailleurs le sujet d'un roman d'Abdoulaye SADJI : *Nini, mulâtresse du Sénégal*. L'auteur a montré chez les différentes collectivités de Saint-Louis, les efforts déployés par celles-ci pour acquérir une personnalité autonome : les Noirs essayent d'être fidèles à ce qu'ils pensent être la tradition africaine et n'ont que mépris pour les métis qui se veulent, pour la plupart, blancs.

Sur l'antinomie des Blancs et des Noirs mentionnons le parallèle de Jean IKELLÉ-MATIBA *(Cette Afrique-là)* entre les civilisations « harmonisées » (civilisations africaines) et les civilisations « stabilisées » (nées « du rationalisme occidental »), p. 52 et 53.

On lira également des passages intéressants sur la manière dont le milieu Blanc est perçu par les autochtones dans *Climbié*. Bernard Dadié explique comment le mythe du « surhomme » s'effondre pendant la guerre, dans l'esprit des Africains et insiste également sur le « réflexe d'auto-défense » du Blanc (p. 171-72 et p. 222).

Une *première attitude consiste* à se résigner et à accepter les structures sociales mises en place par le colonisateur. La crainte, on le devine, entre pour beaucoup dans cette façon de voir. Et ce sont généralement les personnes âgées, diminuées physiquement et parfois cruellement éprouvées par l'occupation européenne qui pensent de la sorte. C'est ainsi que se comporte la vieille mère Bessongo dans *Vers de nouveaux horizons* lorsqu'elle doit travailler avec ses compagnes sous les ordres de Jean, le garde-cercle africain, chargé d'organiser dans le village le travail forcé : « Sa pauvreté, sa crainte de Jean et des Blancs que celui-ci représentait, dictaient à la mère Bessongo une conduite effacée. Elle s'appliquait à son travail pour ne pas s'attirer d'ennuis. Soulagée quand elle rentrait chez elle sans que le garde-cercle ait trouvé quelque réflexion à lui faire et, torturée si c'était le contraire, elle pesait les mots qu'il lui avait dits jusqu'au lendemain soir où, plus soumise, plus humble, plus anxieuse que jamais, elle se présentait de nouveau à lui, libérée de sa peur atroce s'il semblait avoir oublié l'incident de la veille et ne la regardait pas.

» Instruite par l'expérience, elle désapprouvait toute entreprise hardie comme l'évasion qui faisait retomber les coups sur la famille du coupable. Elle recommandait à son fils de se tenir tranquille »[1].

D'autres personnages pratiquent *l'opportunisme* ; c'est le cas notamment de l'oncle du jeune Banda, le héros de *Ville cruelle*. A son neveu qui vient de lui expliquer que le Contrôleur lui a saisi injustement son cacao, le vieillard donne ces quelques conseils : « Si tu n'as pas la la force, fils, essaie de ruser. Et tu n'as pas la force, Banda, c'est moi qui te le dis. A quoi te sert-il de parler ainsi, comme un homme fort !... Les Contrôleurs, ils font exactement ce qui leur plaît, comme les autres aussi. Que peux-tu contre eux, fils ?... Non, fils, tu n'aurais pas dû penser comme ça : « Mon cacao n'a rien que de la bonne qualité. » Tu aurais dû te demander : « Comment faire pour que le Contrôleur me laisse passer ? » Tu aurais mieux fait de leur mouiller la barbe. A quoi te sert-il d'avoir été si fier ?... »[2]. Cependant cette résignation apparente n'exclut pas toujours l'espoir d'un changement radical de la situation. Dans *Sous l'orage*, de Seydou Badian, le père Djigui parle ainsi de la politique des Blancs : « Le chef blanc vient au village avec ses gardes. Il veut qu'on le salue, la main à la tempe ; nous sommes vieux, cela nous fatigue, ne le sait-il pas ? Dans le village voisin, il a mis un chef qui n'est pas du pays, personne ne le veut, sauf le Blanc ; les gens ont peur, alors ils tremblent. Le Blanc ne sait-il pas que quand on tremble devant un chef on désire secrètement le voir trembler à son tour ? »[3].

1. Denis OUSSOU-ESSUI, *Vers de nouveaux horizons*, p. 19.
2. *Ville cruelle*, p. 54.
3. *Sous l'orage*, p. 91.

La deuxième attitude possible face à la situation coloniale consiste parfois à *tenter de s'intégrer* au groupe du colonisateur. Cette démarche est, dans le roman africain, pratiquement inexistante. Même les romans favorables à la civilisation européenne, comme *Le fils du fétiche*, de David Ananou, ou exaltant l'action de certains Européens comme M. Gabe, ange gardien du jeune Kocoumbo, tout au long de son aventure parisienne dans le roman d'Aké Loba, *Kocoumbo, l'étudiant noir*, proclament la nécessité de rester fidèle à une certaine idée de la personnalité négro-africaine. Cependant on relève une exception notable avec le roman autobiographique de N. G. M. Faye, *Le débrouillard*. Cet Africain heureux qui doit son succès dans la boxe et le cinéma au public européen ignore ainsi tout ce qui peut être lié au problème de la colonisation et ne tarit pas d'éloges sur la gentillesse et la compréhension des Français...

Troisième attitude souvent décrite par les romanciers : *la haine raisonnée de l'occupant*, pouvant déboucher sur l'action syndicale ou politique. Le roman africain s'est souvent fait l'écho des principaux événements qui affectèrent le système colonial, et donne ainsi un reflet de l'opinion publique lors de ces grands changements. Seydou Badian, dans *Sous l'orage*, décrit l'état d'esprit de la population du Mali à l'annonce de la création de l'Union Française et nous montre le public passant progressivement du scepticisme à une sorte de messianisme vague : « Temps nouveaux ! Temps nouveaux ! Le villageois qui s'était réfugié dans la ville envisage le retour parmi les siens, car le travail forcé va mourir et il sera désormais protégé par les lois : il devient un homme libre ! Le commis est heureux, il ne sera plus l'éternel subordonné, il aura le salaire qu'il mérite. Les jeunes pourront faire les études qui leur plaisent. Ils ne seront plus limités... Le soldat noir sera dans les mêmes conditions que le soldat blanc. Oui, tout le monde sera bien, et le tam-tam gronde de plus belle »[1]. Même atmosphère dans le roman de Bernard Dadié, *Climbié*, qui décrit également le réaction des gens lors des réformes de 1946. Cependant, l'auteur s'attache à montrer les résistances de certains Européens et la deuxième partie du livre va être presque entièrement consacrée à l'agitation sociale et politique au Sénégal et en Côte-d'Ivoire, dans les années qui suivirent la guerre. Bernard Dadié retrace avec beaucoup de précision les grèves, les meetings et s'attache à souligner la cohésion des masses et la solidarité des travailleurs. On appréciera particulièrement l'épisode de l'arrestation de Climbié, employé de bureau accusé de troubler l'ordre public pour avoir soutenu dans un tract la grève des planteurs qui trouvent le cours fixé trop bas. « Climbié et ses amis, par leurs discours et leurs articles de presse, avaient, disait-on, excité

---

1. *Sous l'orage*, p. 113.

les paisibles paysans qui maintenant refusaient de vendre leurs produits. Les femmes elles-mêmes n'apportaient plus les feuilles qui servent à emballer la cola. Cela ne s'était jamais vu. Et pis encore, ces indigènes se permettaient de demander la destitution des chefs supérieurs, en venant, en masse, saisir de la question les Commandants de Cercle. De telles mœurs devenaient inadmissibles, parce que capables de troubler l'ordre public »[1]. Sembène Ousmane a lui aussi évoqué cette époque agitée et de façon peut-être encore plus dure que B. Dadié. *O pays, mon beau peuple!* raconte la double lutte de son héros Casamançais, Oumar Faye, marié à une Européenne, contre certaines habitudes de la société africaine traditionnelle et la cupidité des commerçants blancs racistes. *Les bouts de bois de Dieu* relatent la grève du Dakar-Niger du 10 octobre 1947 au 19 mars 1948. On y trouve une peinture à peu près unique des milieux ouvriers de l'Ouest africain et le livre est un témoignage sans doute assez fidèle et objectif sur toute une catégorie sociale active et lucide, que certaines tendances politiques depuis nous ont fait un peu oublier. *L'Harmattan*, première partie publiée en 1964 d'un long roman que l'auteur n'a pas encore achevé, décrit la campagne du référendum de 1958 dans un pays non précisé qui se prononce en faveur du projet de Communauté. Les principaux courants évoqués, si l'on excepte les Européens partisans dans le livre du statu quo, se ramènent à deux grandes familles : les partisans du « oui » qui, comme Koéboghi, le catéchumène polygame, se confondent pour Sembène Ousmane avec les élites africaines mises en place par la colonisation et les partisans du « non » généralement marxistes qui nous rappellent les cheminots des *Bouts de bois de Dieu* et parmi lesquels se détachent Tiombé, la fille du catéchumène, responsable local du parti marxiste d'opposition et ses amis.

Telles sont les principales attitudes d'esprit que les romanciers prêtent à leurs personnages face au problème de la colonisation. Les passages qui les décrivent sont, comme on a pu le constater, assez rares car les auteurs s'attachent davantage à dépeindre le fait colonial que les réflexions qu'il peut susciter chez ceux qui en sont témoins. Il reste cependant une réaction à étudier et qui est étroitement liée à ce problème : *le phénomène de l'habitat urbain.*

La ville attire et fascine les jeunes Africains. Elle leur apparaît toujours dans le roman comme la forme la plus éclatante du génie moderne. On ne compte plus les personnages qu'elle a ensorcelés : Karim, Maïmouna, Banda, Jean-Marie Medza, Koikou, le héros du roman de Raphaël Atta Koffi, *Les dernières paroles de Koimé*, pour ne citer qu'eux. Et, même déçus, les héros ne désespèrent pas car il y a toujours ailleurs, en Afrique ou en Europe, une autre ville, comme

---

1. *Climbié*, p. 214.

Fort-Nègre, terre promise, vers laquelle le malheureux Banda, dans *Ville cruelle*, ne cesse de diriger ses regards.

« Ville cruelle » : l'admirable expression de Mongo Béti conviendrait à toutes les agglomérations décrites par les romanciers. Leur topographie à elle seule en font déjà ces « cloaques » putrides dont parlait Maurice Nadeau, à propos d'*Une vie de boy*. Les principaux quartiers se retrouvent d'un livre à l'autre, toujours les mêmes, et rappellent que la liberté a cessé d'exister. La « Résidence » dont « le pavillon tricolore, nous dit Bernard Dadié dans *Climbié*, haut perché, couvrait les nationaux, leurs caractères et leurs habitudes, de son ombre auguste »[1] autour de laquelle se trouvent les divers bâtiments administratifs et notamment le commissariat de police et la prison dont les ombres sinistres ont été maintes fois évoquées dans *Vers de nouveaux horizons*, *Un piège sans fin*, *Ville cruelle*, *Climbié*, *Une vie de boy*, *Le fils du fétiche*. Puis vient généralement le « centre commercial » où le Contrôle économique dont fut victime le pauvre Banda et les commerçants grecs ou syriens règnent en maîtres. Mongo Béti, dans *Ville cruelle* et F. Oyono, dans *Une vie de boy* et *Chemin d'Europe*, l'ont magistralement décrit.

Voici, par exemple, comment Mongo Béti nous présente ce quartier dans *Ville cruelle* : « En remontant plus haut, on pénétrait dans le Tanga proprement commercial. Le « centre commercial », comme on l'appelait ; on aurait tout aussi bien fait de l'appeler le centre grec. Tout le long des rues, les enseignes sonnaient grec : Coromvalis, Despotakis, Pallogatkis, Mavromatis, Michalidès, Staveridès, Nikitopoulos — et l'auteur en passe. Leurs boutiques étaient construites à rez-de-chaussée avec des vérandas où s'installaient des tailleurs indigènes avec leurs apprentis ; elles vendaient tout. Derrière la comptoir, des clercs et des sous-clercs noirs vous invitaient chaleureusement, trop chaleureusement. Et c'est chez eux que vous trouveriez les prix les plus bas. Et c'est dans leur maison que vous trouveriez la meilleure marchandise »[2]. Quelquefois les grandes maisons de commerce, aux sigles énigmatiques ajoutent une note particulière. Comme l'a souligné Cheikh Dia, dans *Avant Liberté I*, elles tendent à se confondre, dans la pensée des autochtones, avec les organes principaux de l'administration.

Il y a enfin le reste, c'est-à-dire ce qu'il est convenu d'appeler la « ville indigène ». Ces quartiers sont souvent décrits par les romanciers et la peinture qu'en fait Mongo Béti dans *Ville cruelle* n'a rien d'exceptionnel : « L'autre Tanga, le Tanga sans spécialité, le Tanga auquel les bâtiments administratifs tournaient le dos — par une erreur d'appréciation probablement — le Tanga indigène, le Tanga des cases,

---

1. *Climbié*, p. 213.
2. *Ville cruelle*, p. 17.

occupait le versant nord peu incliné, étendu en éventail. Ce Tanga se subdivisait en innombrables petits quartiers qui, tous portaient un nom évocateur. Une série de bas-fonds, en réalité ! Les mêmes cases que l'on pouvait voir dans la forêt tout au long des routes, mais ici plus basses, plus chiches, plus ratatinées, étant bâties en matériaux de la forêt qui se raréfiaient à mesure qu'on approchait de la ville »[1].

Voilà le cadre classique de la ville africaine moyenne, telle qu'elle apparaît dans le roman. Il nous faut maintenant examiner ce que les écrivains nous disent du style de vie qu'on y mène. Les liens qui désormais vont se nouer entre les différents membres de la collectivité urbaine seront de plus en plus d'ordre économique car tout est subordonné à la possession de l'argent. Denis Oussou-Essui, dans *Vers de nouveaux horizons*, nous montre le jeune Georges que son frère vient d'amener à la ville, faire cette découverte : « C'est en déambulant dans la foule, soulevée par une passion frénétique de vivre et qui se résumait en achat et vente, en donnant-donné, en argent-objet, qu'une question vint battre l'esprit désorienté de Georges.

» — Charles, pourquoi as-tu laissé de l'argent à Am'lou en partant de la maison ?

» — C'est pour l'aider dans sa cuisine ; il faut bien qu'elle achète la viande, l'igname, le bois...

» — ... même le bois ?

» — Oui, Georges, le bois et tout le reste. Tiens ! regarde là-bas. Vois-tu ce groupe compact qui semble se disputer ?

» — Oui !

» — Eh bien ! c'est du bois qu'on achète comme ça... »[2].

Ville cruelle nous décrit également mais sur une plus grande échelle les rapports particuliers que l'argent établit dès lors entre les êtres en insistant sur les conséquences funestes qui en découlent : « Deux Tanga... Deux mondes.. Deux destins ! »

« Ces deux Tanga attiraient également l'indigène. Le jour, le Tanga du versant sud, Tanga commercial, Tanga de l'argent et du travail lucratif, vidait l'autre Tanga de sa substance humaine. Les Noirs remplissaient le Tanga des autres, où ils s'acquittaient de leurs fonctions. Manœuvres, petits commerçants, cuisiniers, boys, marmitons, prostituées, fonctionnaires subalternes, rabatteurs, escrocs-oisifs, main-d'œuvre pénale, les rues en fourmillaient. Chaque matin, les paysans de la forêt proche venaient grossir leurs rangs, soit qu'ils fussent simplement en quête de plus vastes horizons, soit qu'ils vinssent écouler le produit de leur travail ; il s'était constitué parmi cette population une mentalité spécifique, si contagieuse que les hommes qui

---

1. *Ville cruelle*, p. 19.
2. *Vers de nouveaux horizons*, p. 113.

venaient périodiquement de la forêt en restaient contaminés aussi longtemps qu'ils séjournaient à Tanga. Commes les gens de la forêt éloignée qui conservaient leur authenticité, les habitants de Tanga étaient veules, vains, trop gais, trop sensibles. Mais en plus, il y avait quelque chose d'original en eux maintenant : un certain penchant pour le calcul mesquin, pour la nervosité, l'alcoolisme et tout ce qui excite le mépris de la vie humaine — comme dans tous les pays où se disputent de grands intérêts matériels... »[1].

Les groupements qui se forment dans ce nouveau milieu urbain, peuvent d'après les données du roman, se ramener à deux grands types : une cellule dérivée de la famille traditionnelle, dirigée par une sorte de chef de famille et réunissant des individus liés entre eux par la parenté ; une association large, d'essence plus démocratique, qui rappelle la classe d'âge et dont les membres peuvent avoir des intérêts communs soit à cause de leur origine ethnique soit à cause de leurs préoccupations sur le plan du travail et des loisirs.

C'est généralement le premier type qui est décrit et les romanciers se sont particulièrement attachés à dépeindre les familles de la ville auxquelles un jeune écolier venu de la brousse a été confié. Cela s'explique d'ailleurs si l'on songe que la plupart des œuvres retracent l'expérience personnelle de leurs auteurs et que l'école y tient une grande place. Le chef de famille est le tuteur de l'enfant. Il est souvent un parent de ce dernier, comme Assouou Koffi l'oncle de *Climbié*, ou Obambi, l'oncle de Mambéké dans *Cœur d'aryenne*, mais il peut n'être qu'un « ami », tel Bossoin, dans *Vers de nouveaux horizons;* de toute façon il est, en principe, un homme de confiance. L'enfant retrouve donc une structure familière : les rapports entre le chef de famille, les femmes, les enfants sont à l'image de ceux qu'il connaissait chez lui. C'est ce qui se passe pour le héros de *L'enfant noir* lorsqu'il vient poursuivre ses études à la ville. Mais les conditions particulières de la vie urbaine dégradent fréquemment ces relations familiales et l'enfant n'est plus considéré que sous l'angle de la « rentabilité »[2]. C'est ainsi que Koikou, le héros du roman de Raphaël Atta Koffi, *Les dernières paroles de Koimé*, se plaint à son grand-père des traitements que lui infligent M. et Mme Bouadou : « Depuis que je suis ici, ils ne cessent de me torturer. C'est moi seul qui pile le foutou, mets le couvert, fais la lessive, vais chercher l'eau au puits le soir et le matin à la rivière, bref c'est moi seul qui fais toutes sortes de travaux ici. Et comme si cela ne suffisait pas, ils me battent chaque fois qu'ils en trouvent l'occasion, si infime soit-elle »[3].

1. *Ville cruelle*, p. 19 et 20.
2. Les parents de l'enfant versent une pension substantielle destinée à payer les frais de nourriture et d'hébergement. L'affaire est donc doublement intéressante puisque dans la plupart des cas cités par les romanciers, l'enfant sert de boy.
3. *Les dernières paroles de Koimé*, p. 33.

Georges, dans *Vers de nouveaux horizons*, connaît un sort semblable. Cependant, alors que, dès son arrivée, Koikou est considéré comme un serviteur par son tuteur, Georges voit sa situation se dégrader progressivement. Les services qu'on lui demande de rendre deviennent peu à peu des obligations auxquelles il ne peut se dérober, comme par exemple la vente des beignets à la place de Mme Bossoin, « atteinte d'une migraine », chaque matin.

Exception faite des familles qui accueillent un écolier, la famille urbaine est évoquée rapidement, plus que vraiment décrite. Cependant Abdoulaye Sadji, dans *Maïmouna*, a montré la vie d'une jeune fille de la brousse, transplantée à Dakar, chez des cousins assez aisés et Sembène Ousmane, dans sa nouvelle, *Le mandat*, a dépeint une famille de la Médina de Dakar. Tous les deux dénoncent avec vigueur le « parasitisme[1] » qui s'est substitué à l'antique solidarité africaine. On connaît le sujet du *Mandat* : le vieux Dieng a reçu de son neveu, travailleur en France, un mandat de 20 000 francs. Mais avant d'avoir pu toucher la somme, il est assailli par les gens du quartier qui lui demandent des avances. Il n'est pas un des personnages de la nouvelle sur lequel on ne puisse faire cette réflexion du vieillard : « Tous usaient du même refrain. D'abord éveiller chez l'autre son penchant à la solidarité des miséreux, fouetter en paroles douces l'essence de la fraternité qui de jour en jour s'évaporait... »[2]. Tout le ressort dramatique de ce récit repose sur des demandes d'emprunt et finalement le malheureux Dieng se voit dépouillé par un « protecteur » bien placé chargé de toucher le mandat à sa place et qui prétend avoir été volé...

Quant aux associations du deuxième type, elles sont dérivées de la classe d'âge et, comme nous l'avons dit, de nature démocratique. Elles sont souvent formées de jeunes gens qui ont décidé de vivre en commun pour surmonter certaines difficultés matérielles. Déjà dans *Karim*, Ousmane Socé nous montrait son héros partageant à Dakar la chambre qu'un oncle avait mise à sa disposition avec son cousin Ibrahim, Ibnou, un lycéen en classe de philosophie et Abdoulaye, un instituteur sorti de l'École Normale de Gorée.

Le groupe ainsi formé est un intermédiaire entre la famille typiquement sénégalaise dont il partage notamment les loisirs traditionnels, comme les veillées, et l'association plus moderne qui groupe des gens de culture quasi européenne. Cependant, le roman le plus riche sur

---

1. Il va de soi que la nouvelle de Sembène Ousmane décrit une situation extrême que l'auteur se plaît à caricaturer. L'hospitalité des Africains est légendaire, mais celui qui reçoit un hôte ou prête de l'argent n'entend pas pour autant se faire berner. On peut donc parler de « parasitisme » sur le plan économique, mais il ne faut pas oublier la valeur morale de cette pratique. C'est ainsi que les groupements de travail prennent en charge les nouveaux venus jusqu'à ce qu'ils trouvent du travail, palliant de la sorte l'insuffisance de la législation sociale.

2. *Le mandat*, p. 152.

cette question des groupes urbains reste *Le débrouillard*, d'Abdoulaye Faye. Le narrateur est d'abord protégé par une vendeuse du marché de Rufisque dont le mari joue le rôle de tuteur. Il est bien traité et fait partie de la famille. Obligé ensuite d'aller à Saint-Louis où il vend des photographies il passe ses nuits près d'une usine dont les murs chauffés protègent du froid, dans un coin que se sont « approprié » des aventuriers qui louent la place 25 francs la nuit, ce qui ne les empêche pas d'ailleurs de voler leurs « clients » de temps en temps. De retour à Dakar, il loge chez un maçon qui lui apprend le métier. Il fait partie d'un petit groupe de travailleurs avec lesquels il est très lié et qui vont s'occuper de lui. Ces derniers l'aident sur le plan matériel et sur le plan spirituel. Sincèrement croyants, ils lui enseignent ce qu'ils savent du Coran et le font circoncire. On notera à propos de cet épisode que le groupe apparaît ici comme une forme moderne de la solidarité africaine et qu'il continue à jouer le rôle de la collectivité traditionnelle. Par la suite, notre héros devient président d'une « société ». Il s'agit, comme l'explique le narrateur à ses amis, d'une société d'amusement : « Je leur ai dit que la Société était d'amusement et d'amitié, qu'il fallait qu'on fasse tout pour que les autres ne rient pas de nous. Celle ou celui qui aurait quelque chose à dire pourrait le dire en ma présence. » On remarquera que cette association est mixte et que les pouvoirs du président sont limités : choisi par les siens, il est surtout chargé d'exécuter les volontés de la majorité.

D. *La vie des collectivités africaines en Europe.*

Les romans font une part assez large à la description de la vie urbaine des Africains venus en Europe pour travailler ou pour continuer leurs études. On retrouve les deux types de groupe mais avec certaines modifications. Les tentatives pour recréer la vie familiale ne manquent pas. *Mirages de Paris* paru en 1937 évoquait la vie des Noirs dans la capitale française. Le héros, Fara, venu à Paris visiter l'exposition coloniale, se mariait avec une Européenne, Jacqueline Bourciez, issue d'un milieu bourgeois, et décidait de rester à Paris. Le ménage initial devient vite une famille élargie. Autour des deux époux gravitent Sidia, le philosophe, Médoune, le littéraire, Ambrousse l'ancien matelot, les frères Sadio et Birama, petits commerçants et d'humbles travailleurs, cuisiniers, marmitons, portiers d'hôtel.

Le sens de la communauté se manifeste lors des repas africains qui réunissent tous ces gens chez Fara et lors des moments difficiles. En particulier lorsque Jacqueline meurt en donnant naissance à son enfant, Fara est entièrement pris en charge par un « conseil d'amis » venus spontanément le réconforter : « La plupart d'entre eux ne connaissaient pas Fara. Il avait suffi qu'un malheur fût arrivé à un Noir de n'importe quelle origine pour que tous accourent, obéissant à je ne sais quelle solidarité »[1]. Le couple formé par Fara et sa femme attire de nombreuses personnes parce qu'il est à la fois rassurant et prestigieux. Le mariage en effet n'est-il pas traditionnellement une promotion sociale ? D'autant plus que le héros a épousé une Européenne. D'autre part cette solidarité prend également sa source dans le besoin de se rattacher, par l'intermédiaire d'une famille, à la terre nourricière. Jacqueline d'ailleurs s'en rendait compte lorsqu'elle se disait : « Quel que soit l'éloignement d'un homme, des fils invisibles l'attachent à son sol natal. A certaines heures, l'idée de ce pays imposait un temps d'arrêt aux occupations ordinaires de sa vie. Son souvenir et son cœur se tournaient vers ce pays comme le souvenir de Dieu s'impose parfois au croyant et l'arrêt dans le recueillement pour la prière »[2]. Le héros de *L'aventure ambiguë*, Samba Diallo, retrouve également une certaine vie familiale, dans la maison de Pierre-Louis, un ancien avocat noir du Cameroun. Cependant, malgré la présence d'Adèle, femme de Pierre-Louis et princesse de sang royal qui rappelle de loin la hiérarchie du milieu traditionnel, les relations entre les différents membres du groupe dépassent souvent le cadre de la famille proprement dite puisqu'elles sont l'occasion pour eux de prendre conscience de leur personnalité africaine et de la définir par rapport à l'Occident. Il s'établit une solidarité plus vaste, au niveau de la race.

Quant aux associations de caractère non familial, elles ont été essentiellement décrites par Sembène Ousmane et Aké Loba. Sembène Ousmane revient dans une nouvelle de *Voltaïque, Lettres de France*, au milieu des travailleurs noirs de Marseille, qu'il avait déjà évoqué avec *Le docker noir*. Une jeune Africaine mariée à un vieillard noir rapporte dans ses lettres la vie atroce que lui impose son mari. L'auteur insiste surtout sur la forte cohésion du groupe africain que d'interminables conversations ramènent au pays natal : « Cette évocation les aide, les soutient. C'est la ligne qui les relie avec leur enfance, le monde qui les entoure. Il ne leur reste plus que ces réminiscences : un miroir terni où se reflète leur jeunesse. Vie d'exilé ! Ils sont deux fois des exilés : rupture avec le milieu originel et la langue française. Et ce temps présent, chargé de mutation géographique et mentale, les dépasse. Ils ne peuvent plus rentrer au pays... Ils y seront encore des étrangers »[3]. *Kocoumbo, l'étudiant noir* d'Aké Loba, nous fait pénétrer dans le monde des étudiants africains de Paris. Le héros vit d'abord chez un étudiant qui mène la grande vie et dont les ressources ne sont guère avouables. Il s'établit entre eux un rapport de maître à servi-

---

1. *Mirages de Paris*, p. 157.
2. *Ibid.*, p. 121.
3. *Voltaïque, Lettres de France*, p. 83.

teur[1] : « Les deux garçons vivaient en parfaite intelligence. Kocoumbo étudiait seul et faisait la cuisine ; Durandeau allait à ses cours. Ce dernier faisait la route à pied autant pour se donner de l'exercice que pour laisser reposer sa voiture (prêtée par une amie) »[2]. Kocoumbo lui remet d'autre part l'argent qu'il reçoit de sa mère. Par la suite le jeune étudiant habitera avec son ami Nadan dans une chambre de la « Cité des Étudiants d'Afrique Noire ». Aké Loba décrit longuement cette « cité » tout à fait comparable aux quartiers noirs des grandes villes africaines. Et comme dans celles-ci, la solidarité joue pleinement[3], mais sous une forme dégradée : « Dans toutes les chambres, écrit l'auteur, des défilés interminables se déroulaient. On entrait, on agissait comme chez soi. Même en Afrique, dans les villages de la brousse, la vie en commun n'avait jamais atteint ce sans-gêne. Est-ce la misère qui annihile ainsi le respect d'autrui ? pensait Kocoumbo »[4]. La communauté est dirigée par Tougon[5], l'intendant élu par les étudiants et qui prend ses décisions en réunion générale. Une certaine morale collective règne et c'est ainsi que Nadan, qui depuis quelque temps a beaucoup d'argent, voit un jour sa chambre envahie par une délégation de vingt personnes qui lui demandent au nom du groupe d'abandonner son travail actuel, sujet de honte pour tous les gens de la maison. A la fin du livre, un épisode éclaire d'un jour singulier le sens profond de la communauté africaine en Europe. Devenu ouvrier d'usine, Kocoumbo est mal vu par ses camarades qui lui reprochent d'être un bourgeois et de ne pas vouloir participer à la lutte syndicale. Finalement, pour avoir la paix, il adhère, sous l'influence de son amie, Denise, au Parti Communiste. Mais sourdement le fossé se creuse entre lui et ses nouveaux compagnons. Tout d'abord il remarque qu'on n'aborde jamais, lors des réunions de la cellule, ce qui lui tient à cœur : « Avait-on jamais songé au cultivateur africain, malheureux de père en fils, qui gémit sous le joug des Blancs ? Avait-on fait cas de la misérable vie de l'étudiant noir en France ? L'analphabétisme, ce problème africain effrayant entre tous, avait-il été une seule fois signalé ? Non seulement il n'était jamais question de ce qui lui tenait à cœur, mais l'instruction pour laquelle

1. Librement accepté par le second, comme en témoigne la suite.
2. *Kocoumbo*, p. 165.
3. C'est ainsi qu'on se charge au début de l'année universitaire de « l'accueil » des nouveaux. Mais, comme pour la vie en commun, il y a dégradation et Douk est passé maître dans l'art de disparaître avec l'argent remis par les étudiants fraîchement débarqués qui l'avaient chargé de faire quelques menus achats.
4. *Kocoumbo*, p. 187.
5. Il est intéressant de comparer le rôle de Tougon avec ce que nous dit S. Diarra, dans un article de *Psychopathologie Africaine* (vol. II, n° 1, 1966) : *Problèmes d'adaptation des travailleurs noirs en France*, à propos des « structures villageoises » conservées en France. Tandis que le chef de la collectivité est, d'après S. Diarra, un « représentant de l'autorité traditionnelle », Tougon est essentiellement un homme politique. Il s'est fait élire sur un programme mirifique que Aké Loba évoque à la page 196 et qu'il n'a pas tenu bien sûr !

cependant il s'était sacrifié, était sans cesse un objet de sarcasmes : il ne s'agissait que d'instruction bourgeoise »[1]. Mais surtout ce qui l'oppose aux autres, c'est qu'il ne croit guère à la nécessité de changer de monde. En effet, pourquoi le ferait-il, puisqu'il sait que la société africaine est la seule où il se sente à l'aise ? Rien n'illustre mieux ce divorce entre la dialectique marxiste et le désir du jeune homme d'établir des relations de personne à personne que ce bref dialogue entre Kocoumbo et Denise :

« — Camarade Denise, est-ce que tu as encore tes parents ?
» Elle ne répondit pas. Au bout d'un instant, elle baissa la tête. Kocoumbo la regarda et reprit :
» — Excuse-moi. Je te demande cela parce qu'il y a environ un an que nous nous connaissons et je ne t'ai jamais demandé des nouvelles de tes parents. Chez nous cette question prouve l'affection de la personne qui la pose. Moi, mon père est mort... »[2]. Ainsi, le long épisode où Aké Loba nous montre son héros dans le milieu ouvrier nous permet de comprendre ce que représente la collectivité urbaine pour l'individu transplanté en Europe. Ce dernier ne cherche nullement à changer le monde mais à perpétuer les structures qui le satisfont. Et comme le remarquait Kocoumbo, si la communauté devient invivable, la cause n'en doit pas être imputée au système adopté mais à la misère ambiante qui la dégrade[3].

*
* *

Telles sont les différentes formes que le roman nous donne de la collectivité africaine, dans le milieu traditionnel et dans le milieu urbain. Il nous faut désormais nous attacher à montrer comment, d'après les romanciers, apparaît l'individu au sein de ces différentes formes de la collectivité et quelles sont ses réactions.

---

1. *Kocoumbo*, p. 249.
2. *Ibid.*, p. 244.
3. Dans l'étude des formes modernes de la collectivité, il n'est guère possible d'établir une différence entre la période coloniale et l'indépendance. La plupart des romans ont été écrits avant 1960 et ceux dont la publication est postérieure s'attachent surtout, pour des raisons que nous tenterons d'expliquer, à peindre l'époque de la colonisation. D'autre part, le contact avec l'Europe a entraîné des bouleversements, tels que l'implantation d'une administration de style européen ou l'habitat urbain, qui ne peuvent évidemment pas disparaître. Car, comme le roman le souligne, le colonialisme n'est pas à proprement parler un fait racial mais plutôt le heurt de deux conceptions de la vie. La façon dont est présentée l'école est à cet égard très significative.

CHAPITRE II

L'INDIVIDU DANS LE ROMAN AFRICAIN

I. — L'INDIVIDU DANS LE MILIEU TRADITIONNEL.

Malgré la forte cohésion qui le caractérise, le milieu traditionnel tel que le dépeint le roman n'est pas une égalisation de tous par la base. Celui-ci exige en effet de chacun de ses membres un rôle précis nécessaire à la bonne marche de l'ensemble et va même jusqu'à permettre dans certaines conditions une promotion physique et morale de l'individu.

La société traditionnelle n'est pas simplement une collection d'unités mais un ensemble organique, où chacun assure une tâche qui lui est propre. Et l'individu apparaît déjà par cette spécificité puisque aucun rôle n'est interchangeable. C'est ce que souligne Jean Ikellé-Matiba dans *Cette Afrique-là* lorsqu'il établit un parallèle entre la société africaine traditionnelle et la société européenne : « Chez nous, tout tenait à tout et il fallait tout envisager globalement. Dès lors qu'un maillon était enlevé, la chaîne ne se refermait plus. » *Doguicimi* de Paul Hazoumé illustre parfaitement cette idée.

Le roi Guézo règne en maître absolu sur ses sujets terrorisés et la peine capitale vient frapper tous ceux qui peuvent manquer à leurs obligations. Mais en même temps, malgré son immense pouvoir, Guézo sait que la faute d'un seul risque de compromettre l'équilibre du monde et l'on peut dire que l'individu existe dans la mesure où cette possibilité lui reste offerte. Le crieur qui tous les matins évoque selon un rituel précis les rois du passé risque à tout moment la mort, s'il se trompe, mais personne ne pourrait le remplacer dans cette fonction sacrée. *L'enfant noir* nous montre également comment la fonction sociale à l'intérieur du groupe est la première forme de l'individualisation, car les rôles ne sont guère interchangeables. L'appartenance à telle ou telle caste est un des facteurs les plus importants.

Ainsi, le père du narrateur est le forgeron-orfèvre du village tandis que d'autres sont paysans, artisans, marchands ou dévots lettrés, comme l'oncle Mamadou, selon la caste à laquelle ils appartiennent. Quant à la mère, bien qu'elle accomplisse les mêmes tâches que les autres femmes, elle se distingue de celles-ci par le totem particulier auquel elle s'identifie et qui la protège. Les travaux les plus humbles accomplis par Dâman prennent alors une résonance toute spéciale qui souligne ce qu'il y a d'unique chez cette femme : « Ma mère puisait réellement l'eau du fleuve, sans que les crocodiles, les animaux les plus voraces de la création, songeassent à l'assaillir »[1].

Ainsi, en milieu traditionnel, le rôle social joué par chacun permet à l'individu d'exister. Cette idée, Camara Laye la reprend lorsqu'il nous raconte comment, au milieu des moissons de Tindican, il se mit à réfléchir à ce que serait son avenir. On notera à ce sujet qu'il met tout à fait sur le même plan le métier qu'il pourrait exercer au sein du milieu traditionnel et celui qu'il pourrait avoir dans le monde moderne, ce qui revient à avouer que l'individu pouvait se réaliser pleinement autrefois grâce à son métier : « Il me semblait que, moi aussi, j'aurais pu être un moissonneur, un moissonneur comme les autres, un paysan comme les autres, est-ce que...

» — Eh bien, tu rêves ? disait mon oncle.

» Et je prenais une botte d'épis qu'il me tendait, j'enlevais les feuilles des tiges, j'égalisais les tiges. Et c'était vrai que je rêvais : ma vie n'était pas ici... Et elle n'était pas non plus dans la force paternelle. Mais où était ma vie ? Et je tremblais devant cette vie inconnue. N'eût-il pas été plus simple de prendre la suite de mon père ? « L'école, l'école... pensais-je ; est-ce que j'aime tant l'école ? » Mais peut-être la préférais-je. Mes oncles... Oui, j'avais des oncles qui très simplement avaient pris la suite de leur père ; j'en avais aussi qui s'étaient frayé d'autres chemins : les frères de mon père étaient partis pour Conakry, le frère jumeau de mon oncle Lansana était... Mais où était-il à présent ? »[2].

Certes, le rôle social est déjà un facteur d'individualisation important mais n'oublions pas cependant que si l'individu existe, sa liberté de choix reste réduite et que la fonction sociale est plus souvent subie que réellement voulue.

D'autres éléments interviennent pour accentuer la différenciation des individus en milieu traditionnel. Ceux-ci ont d'abord la possibilité de s'affirmer physiquement. Nazi Boni, dans *Crépuscule des temps anciens*, nous en donne un exemple : « Au Bwamu, on admirait les hommes grands, beaux et forts ou petits de taille mais massifs et bien

---

1. Camara LAYE, *Actualité littéraire*, n° 6, 1955.
2. *L'enfant noir*, p. 68-69.

campés. Kya ne disposait d'aucun atout physique. Son père le savait depuis sa naissance. Cependant, il voulait que l'on parlât de son fils. Une chance lui restait ! En faire un guerrier, un « bêro » ou guetteur. Outre tous les sports ordinaires depuis la course de vitesse ou de fond jusqu'au hand-ball d'endurcissement, en passant par l'exercice de tir à l'arc, le père de Kya lui apprit à se mettre à l'affût, à surprendre un ennemi, à le désarmer moralement et physiquement. Il lui enseigna comment on décapite avec le « woro » un ennemi en pleine course, comment, sans effort, on multiplie la puissance de frappe d'une flèche. Aucune ruse de guerre ne pouvait échapper à son fils. Restait le courage.

» Avoir le cœur dur, savoir frapper les yeux fermés, en était la condition indispensable. La passion de la gloire la lui fournit.

» Ainsi paré, Kya qui n'était ni grand ni beau, ni même très fort, pouvait devenir un indomptable « bêro ».

» Il le devint. Aujourd'hui encore, les Anciens racontent à leurs enfants son extraordinaire épopée »[1]. On notera d'après ce passage que l'appartenance à un groupe plus restreint, celui des guerriers, est déjà un facteur d'individualisation. Remarquons encore que celui qui veut devenir un héros doit davantage chercher à acquérir une technique que compter sur ses dons naturels.

Nazi Boni se contentait de nous raconter l'histoire à demi légendaire de Kya. Camara Laye s'attache à montrer les incidences psychologiques de l'exploit accompli par un individu lorsqu'il nous raconte comment, dans *L'enfant noir*, son oncle et lui, lors des moissons de Tindican, surpassent tous les autres travailleurs. Le dialogue qui s'engage alors entre l'oncle et le neveu est particulièrement révélateur de la manière différente dont est perçue cette victoire par celui qui l'a remportée et par celui qui n'en a guère été que le spectateur : « Il reprenait son travail, et de nouveau, je le suivais pas à pas, fier de nous voir occuper la première place.

» — Tu n'es pas fatigué ? disais-je.
» — Pourquoi serais-je fatigué ?
» — Ta faucille va vite.
» — Elle va, oui.
» — On est les premiers !
» — Ah ! Oui ?
» — Mais tu le sais bien ! disais-je. Pourquoi dis-tu « ah ! oui ? ».
» — Je ne vais pas me vanter, tout de même !
» Et je me demandais si je ne pourrais pas l'imiter, un jour, l'égaler, un jour »[2]. Cette fois on constate que le personnage est conscient de sa valeur mais qu'il ne cherche pas à en abuser. Quant à l'enfant, il

---

1. *Crépuscule des temps anciens*, p. 61-62.
2. *L'enfant noir*, p. 68.

semble éprouver le besoin de vivre dans l'intimité de quelqu'un de prestigieux.

Le « héros » reste proche de son public.

L'importance du public est indiquée par Mongo Béti lorsqu'il évoque dans *Mission terminée* un personnage qui tranche sur les autres jeunes gens du village de Kala par sa force physique et que le narrateur remarque au premier coup d'œil. « Je remarquais dans l'équipe de Kala un grand diable propriétaire de tels muscles qu'à moins de les avoir achetés à tempérament, je ne voyais pas comment il se les était procurés. Immense, les pieds plats, le torse trop long et au demeurant pas très droit, les hanches aussi étroites qu'il est imaginable, le ventre légèrement bombé du paysan qui absorbe habituellement une nourriture dure, c'est cette espèce de baobab humain qui lançait la boule lorsque le service passait à son camp[1]. Je n'eus aucune peine à savoir qu'il s'appelait Zambo, car à chacune de ses interventions, les clameurs des spectateurs ne scandaient que ce nom comme s'il avait été celui d'un Dieu favorable au cours du siège de Troie »[2].

On notera combien le public semble nécessaire à l'individu pour pouvoir s'affirmer.

Un autre type d'individu caractéristique du milieu traditionnel est le samba linguère évoqué surtout par Ousmane Socé dans *Karim* et Sadji dans *Maïmouna*. Tel qu'il est décrit par ces deux romanciers, le samba linguère doit posséder un physique agréable, descendre d'une illustre famille et montrer qu'il est riche en s'entourant de griots qui feront son éloge et celui de la femme qu'il courtise.

L'amitié et surtout *l'amour* constituent pour les personnages situés en milieu traditionnel un puissant facteur d'individualisation. Bien que la plupart du temps la contrainte sociale prenne le dessus, l'amour à sa naissance traduit chez le couple la volonté de mener une vie libre, débarrassée de toute influence extérieure à ce qui constitue sa seule préoccupation. Comme on peut s'y attendre les qualités qui distinguent la personne aimée des autres sont pour la femme la beauté physique, l'élégance de la mise et la douceur de caractère et, pour l'homme, la force et le courage. Cependant l'initiative appartient toujours à l'homme et tandis que les raisons de son choix sont longuement décrites le point de vue de la femme n'est qu'à peine évoqué. Ousmane Socé nous présente ainsi la première rencontre de Karim et d'Aminata lors d'une fête : « Karim admira particulièrement une d'entre elles : Aminata, une jeune divorcée. Elle portait un boubou

---

1. Les jeunes gens jouent à un jeu d'équipe dont les règles sont les suivantes : alignés sur deux rangées, face à face, les joueurs doivent atteindre avec leurs sagaies une boule lancée par le capitaine de chaque équipe.
2. *Mission terminée*, p. 41.

de thiévely[1], de riches pagnes et des babouches dorées. Un mouchoir de soie noué à la mode de cette année enserrait son diéré[2] d'où pendaient des louis d'or ; noire mate, le nez aquilin, lèvres fortes qui faisaient désirer le baiser. Un sourire étincelant de blancheur, patiemment travaillé, à l'aide de cure-dents de soumpe[3], une Vénus d'ébène à la poitrine mamelonnée de seins fermes comme des pastèques. Elle se trémoussait sur ses hanches souples en dansant et sa croupe fascinait le regard des spectateurs »[4].

Ce type de description se retrouve dans la plupart des romans chaque fois que l'auteur justifie le choix d'un de ses personnages masculins. Voici comment Nazi Boni évoque Hakanni, la maîtresse de Térhé, dans *Crépuscule des temps anciens* : « Hakanni revenait du puits. Elle tenait élégamment, de la main gauche, une pipe neuve à la tige longue, blanche agrémentée de dessins. Impeccablement racée, Hakanni était une de ces filles à la vénusté éblouissante, aux traits fins, à la peau claire et délicate. Très nette, elle prenait trois bains par jour. De légers tatouages, pratiqués avec art, effleuraient discrètement son visage. Une coiffeuse de talent avait tressé ses longs cheveux luisants « en rangées de tige de mil », mode en vogue. Sa poitrine saillait sous son « doponi », pagne d'une blancheur immaculée. Elle avait ceint autour de sa tête une très longue banderole de cotonnade blanche qui lui retombait par derrière sur les talons, en deux traînes frissonnantes. Ni perles, ni bracelets, ni pendants d'oreilles ne venaient jeter le discrédit dans cette parfaite incarnation de la beauté »[5]. Là encore, on notera l'alliance de la parure et de la beauté physique qui doivent nécessairement susciter chez l'homme l'admiration et l'amour.

Cependant l'amour ne permet pas seulement une individualisation des personnages sur le plan physique, il donne aussi au couple la possibilité de se vouloir différent des autres membres de la collectivité. C'est ainsi que Nazi Boni nous montre Hakanni affirmer avec force son amour pour Térhé par un geste parfaitement révélateur. En revenant du puits, la jeune fille a entendu quelqu'un prononcer le nom de son amant et l'auteur ajoute : « Hakanni s'arrêta, ferma les yeux, se pâma, balança sa pipe au loin, inclina la tête en avant et envoya son amphore se briser sur le sol.

» — Le nom de Térhé mérite bien le sacrifice d'une pipe et d'une amphore, non ? ce geste, qui électrisa tout le monde, fut salué par une clameur d'admiration ponctuée de you ! you ! you ha ha !

» Assurément, sa mère ne la congratula pas. C'était elle qui payait

---

1. Thiévely : tissu de coton teint en bleu sombre à l'indigo *(Note de l'auteur)*.
2. Diéré : perruque de femme *(Note de l'auteur)*.
3. Soumpe : arbre épineux à bois très tendre du Sénégal *(Note de l'auteur)*.
4. *Karim*, p. 85.
5. *Crépuscule des temps anciens*, p. 65-66.

ses vases et non Hakanni ou Térhé. Mais qu'importait sa mauvaise humeur ! « la vieille ! n'avait-elle pas fait son soleil » et cassé des dizaines d'amphores ? Elle était mal venue de le reprocher à sa fille »[1]. De même dans *Faralako*, d'Émile Cissé, nous voyons les deux jeunes gens, Ni et Makalé, s'opposer sans cesse au reste de la communauté qui ne semble exister que pour leur tendre des pièges. Makalé n'hésite pas lors de la « danse des sabres » à donner congé à Samaké, son prétendant officiel et à choisir ostensiblement Ni. Obligés de s'enfuir, les deux amants ne trouveront de refuge que dans la mort ou la folie.

L'amour est également un facteur d'individualisation dans la mesure où il amène les personnages à définir et à analyser leurs propres sentiments et, par là, à développer leur vie intérieure. Pour certains ce n'est que quelque chose de vague et d'indéfinissable. C'est le cas pour Kany et Samou, les héros du roman de Seydou Badian, *Sous l'orage* : « Kany et Samou s'étaient rencontrés au cours d'une kermesse organisée au bord du fleuve. Leurs regards s'étaient croisés une, deux, trois fois ; Samou, le lendemain avait écrit. Il avait parlé d'amour, d'étoiles, de flèches de feu et de Kany aux dents de lumière. La fille de Benfa, cette lettre à la main, avait rêvé, elle avait rêvé de la petite maisonnette dont leur parlait l'institutrice européenne, maisonnette ornée d'un salon éblouissant aux meubles lourds ; elle avait rêvé du petit jardin où s'enchevêtrant, la jacinthe, le géranium et la rose mêleraient miraculeusement leur parfum aux senteurs tropicales. Elle avait rêvé de promenades au bord du Djoliba à l'heure où le soleil mourant étale son linceul d'or sur le fleuve au repos.

» Kany rêvait d'amour et d'avenir. Elle voyait un merveilleux avenir embelli par la présence de Samou. Et, souvent on l'entendait chantonner le chant du serment que les jeunes filles disent quand elles ont choisi »[2]. Pour d'autres, l'amour sera l'occasion de découvrir des problèmes et des sentiments qu'ils ignoraient jusque-là. Écoutons ainsi les plaintes d'Hakanni qui, parce qu'elle est parente de Térhé, doit se contenter d'être sa maîtresse : « Térhé, « mon tout », j'ai l'âme troublée. La tête me chauffe. Depuis des jours le sommeil me fuit. Il m'arrive de passer des nuits blanches, comme une vieille femme rongée de soucis. Dieu sait pourtant si je suis heureuse avec toi. Malheureusement, pourrons-nous jamais aboutir au couronnement de ce bonheur ? Mon vœu serait comblé si dans un avenir immédiat, les anciens pouvaient admettre que nous nous mariions légitimement. Toutes les jeunes femmes de mon âge ont leurs époux, leur chez-soi. Mon honneur, mon amour pour toi, tout me commande de porter ton nom »[3].

Ainsi Hakanni découvre grâce à l'amour quelle est sa situation par-

1. *Crépuscule des temps anciens*, p. 66-67.
2. *Sous l'orage*, p. 21.
3. *Crépuscule des temps anciens*, p. 153.

ticulière par rapport à Térhé et par rapport à la collectivité. De même Koikou, dans le roman de Raphaël Atta Koffi, *Les dernières paroles de Koimé*, aperçoit au moment où il devient amoureux, certains aspects de sa personnalité et s'abandonne à l'introspection : « comme tu as deviné, confie-t-il à un ami, le genre de sentiment que je nourris pour cette fille, je vais te dire tout : En vérité, je l'aime d'un amour fou. Ce n'est pas d'aujourd'hui que ça date : mais du jour où l'inspecteur étant venu à l'école fit rassembler les maîtres dans notre classe et que le directeur me désigna surveillant du C.E. 2. Ces surveillances durèrent — je m'en souviens — trois jours. C'était, je crois, en mai : le premier jour, la beauté de Madeleine attira mon attention et rien de plus ; le deuxième jour un doux sentiment qui était plus fort que moi m'envahit quand je la vis. Je la fis chanter une chanson dont l'air est resté à jamais gravé dans ma mémoire, enrobé de la personne de cette fille ; le troisième jour, je vis clair en moi : je l'aimais, je l'adorais, l'inspecteur parti, je rejoignais ma classe. Mais trop tard. Le coup était déjà mortel. Certes, je voyais quelquefois Madeleine, cela ne suffisait pas. Je voulais l'avoir à moi tout seul, chez moi, pour pouvoir l'admirer toujours, éternellement, comme une idole. Les jeudis et les dimanches me faisaient une grande tristesse parce que je ne pouvais voir Madeleine. J'avais voulu lui écrire pendant les jours de classe, mais par quel moyen lui remettre la lettre ? Les filles sont si indiscrètes »[1].

C'est cependant dans *Un piège sans fin* d'Olympe Bhêly-Quénum que l'on voit les personnages découvrir le mieux, grâce à l'amour, leur propre individualité et toutes les nuances de leur personnalité. Après avoir évoqué l'amour calme et sûr de Bakari et de Mariatou, puis de Fanikata et d'Ibayâ, sortes de Philémon et Baucis du pays fon, l'auteur consacre de nombreuses pages à la passion qui unit les deux jeunes gens, Ahouna et Anatou.

M. Francis Fouet, dans sa communication au colloque de 1963 sur « la littérature africaine d'expression française », intitulée « *Le thème de l'amour chez les romanciers négro-africains d'expression française* », définit ainsi l'amour d'Ahouna et d'Anatou : « O. B. Quénum, avec *Un piège sans fin*, nous fait vraiment entrer dans le monde de la passion. Dans une vingtaine de pages qui sont sans doute les plus belles du livre, il nous décrit la naissance d'un amour ardent et exclusif (p. 79 à 100). A travers le symbole de l'orange donnée par Anatou à Ahouna, nous comprenons que chacun des deux amants est véritablement « possédé » par l'autre. Ahouna est rentré chez lui avec son orange. Il ne se décide pas à la manger. Peu à peu l'orange devient la jeune fille. Ayant mangé le fruit, Ahouna se trouve « dès lors comme possédé » : « Anatou souriait en moi » (p. 85). Chez les jeunes gens, l'amour est

---

1. *Les dernières paroles de Koimé*, p. 64-65.

aussi souffrance : « Je t'aime et j'en souffre, Ahouna », murmure la jeune fille. L'aveu les délivre d'une sorte d'angoisse. Ils sont si heureux qu'Ahouna voudrait mourir en plein bonheur (p. 88). Dans une sorte d'harmonie cosmique, la nature s'accorde à leur amour : la montagne du Kinibaya s'illumine de milliers de lucioles en l'honneur des deux amants (p. 91). Un tel amour ne peut pas s'enliser dans la vie quotidienne. Quand le destin y aura brutalement mis fin, Ahouna n'aura plus d'autre voie que celle de la déchéance et de la mort »[1].

Les deux amants découvrent en eux la montée du bonheur et c'est ici que O. B. Quénum se sépare de la plupart des romanciers africains.

En effet le bonheur qu'il décrit n'a rien à voir avec la recherche de la réussite sociale qui anime tant de personnages. Les deux jeunes gens découvrent un sentiment nouveau et complexe, qui est la prise de conscience de l'harmonie établie entre la nature et l'homme : « Je remis mon kpété dans la poche de mon boubou, posai ma tête sur les genoux d'Anotau, et nous restâmes ainsi près d'une heure. Oui, j'étais heureux. « La Vie, l'Amour, la Mort. » La vie me semblait disparue dans l'amour, engloutie par lui : je souhaitais ne plus vivre. Vingt ans passé, cela me paraissait bien suffisant et la mort seule restait à atteindre. Je la désirais même et souhaitais que par un accident absurde, Anatou et moi fussions tombés de la cime du Kinibaya où nous étions perchés, et fussions morts sans avoir repris connaissance »[2].

Cependant, il y a pour les deux amants un autre facteur d'individualisation, plus puissant encore que le bonheur, la jalousie et la hantise de n'être pas aimé. Après plusieurs années de bonheur, Anatou sombre brusquement dans une jalousie maladive, persuadée qu'Ahouna la trompe avec une jeune fille qu'elle « voit » dans ses rêves à maintes reprises. Ahouna et Anatou deviennent peu à peu des personnages à part, des héros tragiques. Une série de coïncidences semblent confirmer les pressentiments et les soupçons de la jeune femme de plus en plus écrasée par une passion à laquelle elle est entièrement soumise. Pour échapper à son enfer, Ahouna s'enfuit et dans un moment d'égarement tue une femme qui venait de s'offrir à lui. Assassin, il est arrêté et se trouve mis au ban de la société. Ainsi, *Un piège sans fin* nous montre deux personnages qu'une passion heureuse puis malheureuse isole tout à fait du reste de la communauté. Les deux jeunes gens arrivent alors à un rare degré d'individualité et même d'intériorité en prenant conscience du tragique particulier qui pèse sur leurs destinées.

Rien ne le montre mieux que ce passage où Ahouna vient de découvrir, après la sérieuse altercation qu'il a eue avec Anatou, l'inutilité

---

1. François FOUET, *Le thème de l'amour chez les romanciers négro-africains d'expression française* (Actes du colloque sur la littérature africaine d'expression française, Dakar, *1963*, Dakar, 1965, p. 156-157)
2. *Un piège sans fin*, p. 88.

de son existence : « Je devais être semblable à une boule fixée sur la cime du Kinibaya. Mon regard était dans le vide, je ne voyais rien, ni l'abri toujours debout sur pilotis au pied du canal, ni les vaches et les moutons, ni les chiens dont j'aimais contempler les jeux dans la verdure. Je me ressaisis. Kiniba me paraissait tourner en rond dans son lit. Le réverbération bougeait devant moi tel un lac aérien qui s'évaporait. Comme une prémonition, je voyais dans ce phénomène atmosphérique le sens même de ma vie, un rien qui s'anime dans l'espace et le temps dès qu'il fait chaud, et qui doit, ridiculement, disparaître dans le néant sans que personne s'en soucie. Je sentis brusquement, telle une révélation, l'inutilité de mon existence, la vanité de tout ce que j'ai fait et que je continuais de faire. C'était l'absurdité de ma personnalité sérieusement élaborée afin qu'elle durât le plus longtemps possible, son néant même »[1].

Si un tel degré d'intériorité est rare chez les personnages situés en milieu traditionnel, il ne faut cependant pas oublier qu'on trouve assez fréquemment *les germes d'une réflexion morale* et d'une analyse de soi, qui permettent à l'individu de s'exprimer et de se situer par rapport au reste du groupe. On a vu comment l'amour amenait l'individu à prendre conscience de son originalité propre, d'abord par le choix qu'il faisait de la personne aimée, ensuite par la découverte en lui de sentiments nouveaux qu'il n'avait jusque-là jamais remarqués chez autrui[2].

De la même manière, certains personnages prennent conscience de leur individualité, non plus par les sentiments qu'ils peuvent éprouver mais par les idées qu'ils se font sur le monde dans lequel ils vivent. Car quelle que soit la cohésion et le caractère contraignant du milieu traditionnel, la voie à suivre n'est pas toujours tracée d'avance. Aussi n'est-il pas rare de voir les héros du milieu traditionnel faire un retour sur eux-mêmes et se demander quelle est la façon d'agir la plus conforme à la justice.

C'est ainsi que Paul Hazoumé, dans *Doguicimi*, décrivait longuement les débats de conscience de son héroïne partagée entre la fidélité due à son époux Toffa et la tentation de la gloire et de la richesse que lui apporterait Vidaho, le prince héritier, si elle consentait à l'épouser. Le roman de Nazi Boni, *Crépuscule des temps anciens*, évoque les problèmes moraux qui se posent aux habitants du Bwamu. La coutume certes régit la plupart des actes de la vie quotidienne et les interdits sont nombreux : par exemple « on craint « Kyro », l'adultère et le cortège des sanctions qu'il appelle ». Mais certains aspects de l'univers

---

1. *Un piège sans fin*, p. 114-115
2. L'amitié peut aussi jouer le même rôle que l'amour dans cette découverte que fait le personnage de sa propre individualité. Citons pour mémoire *L'enfant noir* et surtout *Un piège sans fin*.

moral sont laissés à l'appréciation de chacun. C'est ainsi que le public préférera généralement à Kya, héros à la mode du pays, cruel et vindicatif, Térhé le juste, dont l'auteur nous dit : « Après sa triomphale apparition au milieu d'un monde aux trois quarts étranger qui apprend ses exploits, Térhé conquiert la sympathie générale et sa réputation grandit en quelques instants. On l'admire, on le contemple, de loin, on le montre du doigt. On applaudit à son honnêteté. Il ne triche ni au jeu ni au combat. Guerrier loyal, il ne s'embusque jamais. Il abhorre tous les bêros (chasseurs), y compris Kya, le téméraire. Il tue pour se défendre et pour défendre sa patrie. Il tue pour préserver l'honneur de sa famille, le sien. Il tue pour délivrer les opprimés. Il tue par devoir »[1]. Tous deux sont estimables mais Térhé l'emporte de loin par sa rigueur morale. Kya d'ailleurs se rend compte quelquefois de sa cruauté toute gratuite et les remords l'assaillent la nuit lorsqu'il songe à tous ceux qu'il a tués.

Il existe enfin en milieu traditionnel des individus qui cherchent à sortir du groupe ou à rompre l'équilibre par des moyens que la communauté réprouve. Les individus de ce type que les romanciers nous présentent cherchent dans la magie un moyen de réaliser leurs désirs secrets, la plupart du temps, opposés aux intérêts de la société traditionnelle. Si l'on s'en tient aux indications que nous donne le roman on peut distinguer deux catégories de personnages qui ont recours à *la magie*. Certains essaient d'abord de faire mourir celui ou celle dont ils espèrent s'approprier les biens. C'est le cas de la tante Kanga dans le roman de Denis Oussou-Essui, *Vers de nouveaux horizons*, qui passe la plus grande partie de ses journées dans sa « case à magie ». La façon dont la vieille mère Bessongo met en garde son fils Charles contre elle nous montre comment le reste de la communauté perçoit cette femme qui s'est mise au ban de la société : « Mon enfant, surtout ne commets pas d'imprudence en allant lui chercher des histoires. Je te répète qu'elle est capable des pires tours pour sauver son intérêt en jeu. Est-ce que tu n'as pas vu ce matin qu'elle vit toute seule comme une lépreuse ? Est-ce que tu as retrouvé chez elle toute la nombreuse famille qui faisait le tumulte du village ?... Elle a empoisonné tous les siens pour s'approprier leurs biens. Elle a besoin d'argent pour entretenir ses fétiches innombrables et innommables. Il ne lui reste que son frère Ando qu'elle ne peut réduire parce qu'il est aussi sorcier qu'elle, mais un sorcier inoffensif. Alors elle va chercher ailleurs le mets humain qu'elle ne trouve plus chez elle. Gare à celui de ses parents survivants, proches ou lointains, qui viendrait à tomber dans son traquenard. C'est avec la ruse du démon qu'elle administre ses poisons ! tu me comprends, Charles ? Elle est habile à empoisonner. Reste donc tran-

---

1. *Crépuscule des temps anciens*, p. 82-83.

quille, si tu ne veux pas me replonger dans une douleur plus vive encore. Tu ne la placeras en mal dans aucune de tes conversations, car elle n'est qu'un membre d'une vaste organisation de sorciers dont les esprits planent à minuit sur le village pour décider ensemble de la victime à abattre »[1]. On notera dans ce passage que le principal reproche qui est fait à la tante est de ne pas mener la même vie que les autres et de refuser la participation à la collectivité villageoise. D'autres utilisent la magie pour assouvir leur jalousie. Ainsi, Émile Cissé dans *Faralako* décrit longuement les manœuvres de Modou, Samaké, Agha et Oumarou aidés par le sorcier Kanfila pour supprimer Ni et sa vieille mère Na, le projet de mariage entre Ni et Makalé ne leur plaisant nullement. Nazi Boni, dans *Crépuscule des temps anciens*, raconte comment le vieux Lowan, père de Kya, réussit à faire mourir Térhé dont la gloire éclipse chaque jour un peu plus celle de son fils. Après avoir épuisé ses ressources en consultant des voyants qui ne pensent pas que le but puisse être atteint, Lowan utilise ses propres connaissances en la matière et finalement arrive à empoisonner Térhé. Le meurtre a lieu au moment de la conquête du pays Bwamu par les Européens et Lowan apparaît alors comme un personnage qui se désolidarise complètement, pour des raisons personnelles, de la société dans laquelle il vit puisqu'il n'hésite pas à mettre à mort l'un des guerriers les plus efficaces du pays.

Telles sont, d'après le roman africain, les différentes formes sous lesquelles apparaît l'individu en milieu traditionnel. Il s'agit, comme on peut le constater, d'une individualisation limitée. L'individu tout d'abord ne peut exister qu'avec l'accord du groupe auquel il appartient et dans la mesure où cette existence individuelle ne met pas en péril l'harmonie sociale. Les exploits cruels de Kya, dans *Crépuscule des temps anciens*, peu utiles au groupe ne suscitent guère l'admiration. Térhé, au contraire, jouit de l'estime générale. De même, le crime d'Ahouna dans *Un piège sans fin* risquant de déclencher des forces maléfiques ne doit pas rester impuni. Le groupe distingue également les pratiques magiques utiles pour toute la communauté de celles dont se servent certains individus à des fins personnelles, nuisibles à l'ensemble du corps social.

D'autre part, on doit souligner combien l'individu reste lié au groupe et ne se conçoit guère tout à fait indépendant de celui-ci. C'est le groupe en fin de compte qui lui permet d'exister individuellement en lui indiquant le rôle qu'il doit jouer dans la société et les limites dans lesquelles ce rôle doit être maintenu.

Ce compromis entre les tendances individualistes et les impératifs collectifs est évoqué par Jacques Maquet lorsqu'il écrit à propos de

---

1. *Vers de nouveaux horizons*, p. 90-91.

la vie familiale en milieu traditionnel : « La conduite qui est attendue de l'enfant africain envers ses grands-parents doit être faite d'une intimité à peine tempérée par le respect dû à toutes les personnes âgées. Il y a entre les générations alternées une complicité légère qui se traduit par des plaisanteries, une grande familiarité et une grande indulgence. Le grand-père voit au-delà de son fils — auquel il s'oppose presque nécessairement de temps à autre — son petit-fils qu'il n'a pas à régenter et qui est la preuve de la pérennité de sa lignée, donc de sa propre survie dans le lignage »[1]. Le groupe social tel que le dépeint le roman ne se contente pas de fixer à chacun le rôle qu'il doit jouer. Il définit également le caractère de certains personnages et l'on pourrait dire qu'il décerne en quelque sorte des « brevets d'individualité ». Ceci apparaît très nettement dans *Crépuscule des temps anciens*, où l'on voit le chœur évoquer tour à tour les caractéristiques de Hagni'nlé « la vilaine fille inabordable »[2], de Térhé « l'incarnation de la puissance humaine, le bouclier des opprimés, le porte-drapeau de toutes les causes de justice, le symbole de la vertu et de l'honneur »[3] ou de la belle Hadonfi « convaincue de détenir le monopole du joli nez et des beaux yeux »[4]. Parfois, il arrive même que le public serve à amplifier les actions individuelles et joue tout à fait le rôle d'une caisse de résonance. C'est ce qui se passe notamment dans les scènes de courtoisie sénégalaise, évoquées dans *Karim* et *Maïmouna*. L'amoureux, loin de se présenter à celle qu'il aime comme un être original, cherche à montrer qu'il appartient à un groupe très vaste et très ancien en s'entourant d'une cour de griots chargée de le rappeler. On retrouve cette façon de voir dans les romans qui évoquent l'exercice du pouvoir politique. Le roi tel qu'il est décrit dans le roman de Paul Hazoumé, *Doguicimi*, malgré la terreur qu'il fait régner n'est pas à proprement parler un tyran. Des liens très forts le rattachent à son peuple conformément à la tradition africaine. Comme l'écrit Jacques Maquet, « le souverain de par sa charge — et non de par une prédestination individuelle qui en ferait un leader charismatique — a une place privilégiée dans l'univers des forces du monde. Il y participe plus que les hommes ordinaires, car il représente son peuple, il s'identifie à lui, il est mystiquement sa communauté. Ainsi, dans de nombreux royaumes tant de l'Est que de l'Ouest, lorsque le roi est malade ou affaibli, la force du peuple est menacée : les récoltes se font moins abondantes, les troupeaux produisent moins de lait, les femmes sont moins fécondes »[5].

Tels sont les principaux aspects sous lesquels l'individu apparaît

---

1. *Africanité traditionnelle et moderne*, p. 59.
2. P. 140.
3. P. 147.
4. P. 150.
5. Jacques MAQUET, *Africanité traditionnelle et moderne*, p. 89.

dans le milieu traditionnel que nous décrit le roman. Bien des traits que nous avons observés semblent appartenir à l'homme en général plutôt qu'à l'Africain en particulier et l'on peut se demander l'intérêt d'une telle étude. Mais, si l'on souligne les liens très forts qui existent entre l'individu et la collectivité, un jour nouveau est jeté sur l'ancienne société africaine, dont on aperçoit alors la profonde originalité. Il s'agit beaucoup moins d'une société collectiviste, comme on l'a dit quelquefois, que d'une communauté très diversifiée où chacun se voit assigner un rôle particulier complémentaire de celui du voisin, ce qui n'exclut d'ailleurs pas dans certaines conditions une promotion des meilleurs. Démocratie d'un type particulier où « la coercition physique est généralement remplacée par la pression sociale ; lorsque l'on vit dans une communauté où tout le monde se connaît et où tout le monde doit coopérer à certaines activités, la désapprobation des autres est lourde à supporter. Elle se manifeste par la moquerie, le refus d'adresser la parole, la mise en quarantaine »[1].

II. — Les personnages individualisés par un apport extérieur.

Les contacts du milieu traditionnel avec l'Europe eurent rapidement pour conséquence d'isoler certains individus et de leur donner un rôle ou une importance qu'ils n'avaient pas dans l'ancienne société. Ce type de personnages, marqué surtout par le côté matériel de la civilisation occidentale et qui n'est pas encore ce qu'on peut appeler le « métis culturel », plus conscient de ses propres problèmes, est assez fréquent dans le roman pour que nous l'évoquions ici.

Nous retiendrons d'abord le personnage du *chef de village* : celui-ci a été souvent mis en scène par des auteurs comme Mongo Beti, Jean Ikellé-Matiba, F. Oyono, Denis Oussou-Essui. Tous rappellent que le chef de village est mis en place par l'occupant européen dont il est l'auxiliaire sur le plan local et insistent sur sa cupidité. Mais le chef de village pose un problème beaucoup plus grave ; alors que par son origine sociale il ne pouvait espérer un jour commander aux siens, il détient un pouvoir réel et efficace. Cette nouvelle forme de pouvoir remet en question les principes traditionnels de la société africaine. Le pouvoir, autrefois, n'était-il pas collégial et ne préférait-il pas s'appuyer davantage sur la pression sociale et la force de la tradition que sur la coercition physique ?

Le *soldat* est un autre exemple de ces individus arrachés à leur milieu d'origine et façonnés brutalement par une civilisation matérielle. Certains romanciers rappellent seulement que le personnage

---

1. Jacques Maquet, *op. cit.*, p. 82.

a eu une vie différente de celle de ses compatriotes. Ainsi Benjamin Matip, dans *Afrique, nous t'ignorons*, caractérise par ces mots le vieux Guimous : « Il ne parlera que de la guerre... de la grande guerre de 1914 où il a été soldat allemand avant de servir dans les armées alliées »[1] et Mongo Béti, dans *Le roi miraculé*, évoque à plusieurs reprises Raphaël « l'ancien de Kouffra ». D'autres insistent au contraire sur le caractère traumatisant de cette expérience militaire.

Olympe Bhêly-Quénum nous en donne un exemple dans *Le chant du lac* lorsqu'il fait dire à Houngbé, le « baroudeur » : « Nous nous sommes engagés ; on est mordu par la guerre comme on l'est par l'amour ; peut-être avec plus de passion qu'en amour, cela va de soi... Mais à quoi bon vouer un culte à la guerre qui n'est qu'une sottise, la pire que la vanité des hommes ait pu concevoir ?... Dien-Bien-Phu m'a enseigné cette vérité. Je devais revenir seul, vraiment seul »[2]. Ce qui n'était chez Houngbé que le sentiment d'une destinée exceptionnelle et solitaire devient chez Tanor Ngoné Diob, le héros de la nouvelle de Sembène Ousmane, *Véhi-Ciosane*, un véritable délire. Ancien combattant en Indochine, au Maroc et en Algérie, Tanor a complètement oublié son milieu d'origine et l'auteur nous le montre circulant toute la journée dans le village, littéralement possédé par les souvenirs de sa vie militaire. A ce degré, on se rend compte que l'emprise de cette nouvelle collectivité a effacé tout à fait la pression sociale du groupe traditionnel.

Outre ces personnages si caractéristiques que sont le chef de village et le soldat, le roman évoque fréquemment tous ceux qui ont eu des rapports plus ou moins étroits avec le monde occidental et qui, à ce titre, sont des êtres un peu à part dans leur milieu d'origine. Le *voyageur* en est un premier exemple. Qu'il ait vécu au milieu des siens comme Anatou l'héroïne d'*Un piège sans fin* qui a passé sa jeunesse dans le Sud du Dahomey ou qu'il soit parti seul pour chercher du travail dans une grande ville d'Afrique ou d'Europe, comme tant de personnages l'ont fait à la suite de Karim, le voyageur, une fois de retour chez lui, est toujours considéré comme un individu qui ne fait plus tout à fait partie intégrante du groupe traditionnel. Ceci, d'abord pour des raisons extérieures : l'introduction des vêtements et des usages européens contribue à l'isoler des siens et risque de lui attirer la moquerie et même l'hostilité déclarée : le « nègre-toubab » a été souvent raillé par F. Oyono, Mongo Béti, A. Sadji. Cependant, dans la plupart des cas, le voyageur suscite seulement un sentiment complexe fait de méfiance et de curiosité admirative dont cette description de Denis Oussou-Essui, l'auteur de *Vers de nouveaux horizons*, donnera une

---

1. *Afrique, nous t'ignorons*, p. 92.
2. *Le chant du lac*, p. 27.

idée : « Jules n'avait rien apporté de plus que ces hommes qu'on rencontrait à l'époque dans des villages où ils étaient de retour après avoir effleuré pendant quatre ou cinq ans la vie des villes. Il savait seulement se débrouiller en français et comme l'enfant du premier âge qui apprend à lire, il ne reconnaissait les lettres que si elles étaient isolées et écrites en majuscules. Il satisfaisait la curiosité de ses petits visiteurs en les prenant sur ses genoux, sur ses épaules où les gamins se sentaient heureux de se frotter à ses habits et de tenir son petit doigt pour jouer »[1]. D'autre part, il arrive qu'on reproche au voyageur de n'avoir pas su se contenter de son sort au village et d'avoir adopté la « philosophie » technicienne de l'Europe. Ainsi la vieille mère Bessongo dans ce même roman critiquera de la sorte son fils Charles qui veut envoyer son frère Georges à l'école moderne sans consulter les gens du village : « As-tu donc oublié toutes les traditions ? »[2]. Aussi voit-on généralement le voyageur s'efforcer de montrer qu'il est resté fidèle à son pays et à ses usages. Charles observera fidèlement les rites par lesquels le voyageur qui retourne chez lui après une longue absence reprend contact avec l'esprit de la patrie et Jules qui courtise Mariéna, la fille de la mère Bessongo, rappelle à plusieurs reprises qu'il est des leurs et qu'on ne doit pas le considérer comme un étranger.

Cet état d'esprit c'est aussi celui du vieux Fanikata, dans *Un piège sans fin* : « J'ai vu Paris où j'ai passé des mois et des mois, j'y ai eu des maîtresses blanches... Est-ce que cette connaissance du monde me rend arrogant et insolent à l'égard de qui que ce soit ? »[3].

L'instruction européenne reçue par certains personnages est également un facteur d'individualisation. Nous n'aborderons pas pour le moment le problème de l'individu qui par l'école peut accéder à toutes les branches du savoir blanc et réfléchir sur sa condition d'être « acculturé ». Nous nous limiterons aux personnages qui, restés proches de leur milieu d'origine, ont acquis cependant par une instruction limitée une particularité par rapport aux autres. Le lycéen en vacances dans son village en est un exemple fréquent : le savoir dispensé par les maîtres de la ville lui donne aux yeux des villageois une importance que ni son âge ni son rang ne lui auraient jamais donnée. Il devient alors un intermédiaire nécessaire entre les siens et le monde moderne. On sait tout le parti qu'a tiré de ce thème, sur le mode humoristique, Mongo Béti avec *Mission terminée*. Il peut même arriver que l'instruction bouleverse la hiérarchie de la société traditionnelle. Plusieurs romanciers et, notamment, Jean Ikellé-Matiba, dans *Cette Afrique-là*, et Denis Oussou-Essui, dans *Vers de nouveaux horizons*, ont rappelé qu'au début de la colonisation les notables, par réaction contre l'occu-

1. *Vers de nouveaux horizons*, p. 40.
2. *Ibid.*, p. 82.
3. *Un piège sans fin*, p. 132.

pant, n'envoyèrent pas leurs enfants à l'école européenne et que les castes inférieures furent souvent les seules à le faire. C'est ainsi que Denis Oussou-Essui nous montre un descendant d'esclave devenu indispensable au village : « Kongo était le seul lettré du village, ce qui explique assez son origine. Les notables, méfiants, n'envoyaient à l'école que les fils de leurs esclaves. C'est ainsi que Kongo, dont le père descendait d'une vieille souche d'esclaves, devint le premier et l'unique lettré de Koliaklo »[1].

Un dernier type de personnage particularisé par un apport extérieur est représenté par l'individu converti à une *religion européenne*. De nombreux romanciers ont évoqué dans leurs œuvres les religions apportées par les missionnaires. Mais, écrivant dans une intention apologétique, comme David Ananou, ou polémique, comme Mongo Béti ou F. Oyono, ils se sont surtout occupés de la nouvelle religion en général et très peu des problèmes qui peuvent se poser dans ce domaine sur le plan des relations individuelles. Ainsi Mongo Béti s'attache à dénoncer la collusion du catholicisme et du système colonial et par conséquent présente les convertis comme des victimes, si bien que les incidences religieuses du problème finissent par être escamotées. Quelques auteurs cependant ont souligné les particularités que peut présenter aux yeux des autres l'individu converti au christianisme. Raphaël Atta Koffi, dans *Les dernières paroles de Koimé*, nous fait assister à une conversation entre Koikou et son camarade de classe Yao qui n'est pas encore converti. Ce dernier presse de questions son ami sur toutes les pratiques de la religion qu'il désire embrasser. L'auteur évoque rapidement le conflit qui risque de se produire entre Yao et son père qui est « païen ». David Ananou, dans *Le fils du fétiche*, met en scène à la fin du livre un vieux catéchiste qui tranche sur les autres en mettant en pratique sa religion : « Francis ne se contentait pas seulement de prêcher la morale chrétienne à ses jeunes amis. Il savait que dire de bonnes choses sans les mettre en pratique, c'est « ressembler aux cloches qui sonnent l'office sans jamais y aller ». Il s'évertua donc... à donner l'exemple d'une vie toute de dévouement et de charité pour le prochain »[2]. Moins stéréotypée est l'image que nous donne du chrétien Benjamin Matip dans *Afrique, nous t'ignorons* : Zachée, « homme dans la cinquantaine, très grand et très pieux, converti à la religion protestante dès les premiers jours, et placé à la tête de l'église de Bidoé »[3], prend la parole au cours d'une assemblée et l'auteur décrit les réactions des autres personnes présentes, animistes pour la plupart. Le signe de croix de l'orateur ainsi que la phrase : « laissez les morts enterrer les morts » provoquent le rire de tous. Mais

1. *Vers de nouveaux horizons*, p. 36.
2. *Le fils du fétiche*, p. 194.
3. *Afrique, nous t'ignorons*, p. 120.

l'évocation de la Bible, « le livre sacré », rétablit immédiatement le silence. Le chrétien apparaît donc ici comme un étranger dont les gestes bizarres et le langage incompréhensible sont parfois risibles mais qui pourtant impose le respect dans la mesure où il participe à un mystère auquel tout le monde est sensible.

III. — L'individu a la recherche de lui-même.

A. *L'insatisfaction devant le milieu traditionnel.*

Les manifestations individuelles que nous venons d'évoquer paraîtront singulièrement timides et limitées à côté de toutes celles — de loin les plus nombreuses — qui traduisent chez les personnages romanesques l'insatisfaction profonde de vivre dans la réalité africaine d'aujourd'hui. Ce malaise est lié à l'effritement de la société traditionnelle, phénomène que le roman décrit largement. Cependant, loin d'en être les spectateurs muets et nostalgiques, les personnages y prennent une part active. Aussi, doit-on, si l'on veut comprendre le sens profond de tous les épisodes au cours desquels l'individu se heurte à son milieu, garder présente à l'esprit la place réservée à l'individu dans l'ancienne société[1]. On verra alors que l'activité qu'il mène de nos jours est tout à fait volontaire et consciente, comme nous le montreront quelques exemples caractéristiques des différents types de conflits évoqués par le roman.

Il est assez fréquent de voir les jeunes contester *l'autorité paternelle* et d'une façon plus générale le prestige des ans. Le narrateur de *Mission terminée* se montre très sévère à l'égard de son père et N. G. M. Faye, dans *Le débrouillard*, rappelant les traitements subis par ses frères et lui, porte contre le sien un jugement sans appel : « Il disait que nous faire souffrir en jeunesse nous rendrait courageux, patients, quand on serait grands (Sacrée folle idée). Il disait : « Il faut qu'on arrive à être plus travailleur, plus courageux que les fils des autres. » Pour moi, aujourd'hui, je pense que c'était par vengeance du fait qu'il avait lui aussi subi les mêmes conditions, ou une maladie qui existe en Afrique de maîtriser les enfants, sans quoi, quand ils sont grands, ils deviennent paresseux. Moi, certains jours, je me faisais bâtonner deux à quatre fois avant midi. Et continuellement j'étais terrorisé. La peur me poursuivait nuit et jour »[2]. Les heurts entre les générations

---

1. Charles Béart, dans son livre *Recherche des éléments d'une sociologie des peuples africains à partir de leurs jeux*, a dressé « le tableau des diverses emprises que subit un adolescent africain dans un village demeuré strictement traditionnel » (p. 108). Ce tableau peut fournir en quelque sorte le premier terme idéal à la comparaison.
2. *Le débrouillard*, p. 10-11.

surgissent souvent à l'occasion d'un mariage non voulu, ou, au contraire imposé par les parents. Le problème a été notamment abordé par Mongo Béti, dans *Mission terminée*, Émile Cissé, dans *Faralako* et surtout Seydou Badian qui en fait le sujet de son livre, *Sous l'orage*. Le roman retrace les difficultés rencontrées par la jeune Kany pour mener à bien son projet d'épouser Samou qu'elle aime depuis longtemps. L'auteur souligne nettement qu'il ne s'agit pas d'un conflit entre un père et sa fille mais bien entre un groupe et un individu. Aussi, pour imposer son point de vue, le vieux Benfa a besoin de l'accord de ses pairs. La hiérarchie traditionnelle détermine également la position du frère de Kany, Sibiri : alors que son âge devrait plutôt le pousser à défendre sa sœur, son rôle de frère aîné, gardien des traditions familiales, l'amène à se ranger aux côtés de son père. Quant à la mère, elle partage tout à fait la douleur de sa fille mais elle se sent dans l'obligation de lui prêcher la résignation. L'emprise du groupe est telle que même les partisans du mariage constituent un véritable obstacle : les jeunes « évolués », imbus de leur connaissance du monde européen, n'hésitent pas, au nom des grands principes qui les animent, à heurter violemment la génération des parents sans toujours demander aux deux intéressés ce qu'ils en pensent. Choqué par cette attitude, Samou, après un discours « révolutionnaire » de leur ami Sidi, avoue à sa fiancée : « Je trouve que Sidi a pleinement raison lorsqu'il s'élève contre certaines de nos pratiques ; en particulier la situation faite à la femme. Mais vois-tu, les évolués, non plus, ne sont pas sans reproches. La jeune génération est marquée par le goût du luxe, l'égoïsme et la vanité... Qu'est-ce que les gens peuvent reprocher aux anciens ? »[1].

Au lieu d'éclater au grand jour, le conflit peut prendre la forme d'une *révolte silencieuse* et lentement mûrie de l'individu contre son milieu. Seydou Badian nous faisait part des pensées secrètes de Kany, songeant avec amertume à la vie que l'obstination de son père risquait fort de lui faire mener : « Quelle vie ! Kany se retourna. Et pour se distraire, ils n'ont que le tam-tam. Les fêtes ? Semailles, battues, grandes pêches... Tout le village est alors sur son pied ; les vieux dirigent, tout le monde s'affaire, du plus jeune au plus âgé, et les tam-tams grondent »[2]. Maïmouna, l'héroïne du roman d'Ab. Sadji, éprouvait des sentiments semblables à l'idée de passer toute son existence à vendre comme sa mère du poisson sur le marché de Louga. Chez certains personnages, la révolte n'est plus seulement le cri instinctif d'une âme blessée, elle s'accompagne d'un jugement sévère qui implique la condamnation de la société dans laquelle ils vivent. Nazi Boni évoque ainsi le désenchantement de Térhé victime de la jalousie des siens : « A trente

---

1. *Sous l'orage*, p. 53-54.
2. *Ibid.*, p. 94.

ans, il voyait la vie à travers le voile magique de l'espérance. Il pensait que la force physique, la beauté, le courage, l'abondance de biens, la propreté morale, conféraient le paradis ici-bas. A quarante ans, il percevait le côté odieux de l'existence. La mauvaise foi, l'imposture, l'hypocrisie, la fourberie, la félonie, la jalousie, l'envie, l'égoïsme, la haine, les intrigues, la calomnie, la pleutrerie, la néantise, l'ilotisme, la vantardise avec leur cortège d'ambitions imbéciles, voilà ce qu'il découvrait au moment où tout semblait se prosterner devant lui. A quoi bon s'en enorgueillir puisque l'essence humaine renferme une telle guangue ? [*sic*]. Il s'était fait une grande réputation. Son honneur et celui de sa famille exigeaient qu'il la maintînt le plus haut, le plus longtemps possible.

» Mais ne fallait-il pas douter de la pureté et de la puissance des dieux et des Mânes ? Car, enfin, comment expliquer leur absence de réaction en face de telles souillures ? »[1]. Denis Oussou-Essui, dans *Vers de nouveaux horizons*, met en scène des personnages animés de sentiments tout à fait comparables. Tandis que la résignation finit par l'emporter chez la vieille mère Bessongo et sa fille Mariéna, Georges compte bien échapper définitivement à sa condition de paysan misérable. Un « choc » initial va déterminer l'évolution de Georges ; en chargeant Kongo, « le seul lettré du village », de lui écrire une lettre, il découvre toup à coup ce qui lui manque : « Ses yeux alors se posaient continuellement sur le front de Kongo, sur ses paupières à demi fermées, sur sa bouche, ses mains, s'attardaient sur chacun de ces éléments, le fouillaient mais sans jamais pouvoir en extraire la moindre parcelle du secret célèbre.

» Et dire que lui, Georges Bessongo, était de la génération de l' « écrivain » Kongo !

» Mais enfin ! où était-il donc quand on recrutait les écoliers ?

» La réponse qui lui vint, sonnait comme une imprécation : il eut envie de maudire Mariéna et sa mère qu'il aidait à combattre des singes dans les champs afin d'éviter la famine ; il maudit profondément le garde-cercle de l'avoir privé de son père qui, peut-être, eût eu l'idée de l'instruire, lui qui ne partageait pas toujours le point de vue des notables sur les traditions ancestrales... Un changement s'opérait en lui qui l'amenait à fréquenter Kongo. Il pressentait qu'il allait s'orienter vers des horizons nouveaux »[2]. Désormais, Georges va poursuivre sans relâche son idée. Grâce à l'aide de son frère, il a la possibilité d'aller à l'école de la ville voisine. En même temps, l'esprit de révolte cède progressivement la place à une compréhension plus lucide et plus raisonnable du rôle qu'il doit jouer. Et malgré la mort de Ma-

---

1. *Crépuscule des temps anciens*, p. 206-207.
2. *Vers de nouveaux horizons*, p. 49-50.

riéna et de son mari, le livre se termine sur une note optimiste : l'individu, réconcilié avec les siens, décide alors de poursuivre ses études pour « créer quelque chose de grand » qui puisse un jour les « sortir de cette profonde misère ».

La révolte contre les habitudes traditionnelles atteint son paroxysme chez les personnages de *Sembène Ousmane*. A la différence de ce qui se passe dans la plupart des autres romans, les individus qu'il met en scène envisagent beaucoup plus facilement de rompre avec leur milieu s'ils l'estiment nécessaire. Voici, par exemple, ce que pense de la polygamie l'héroïne de *Ses trois jours*, nouvelle tirée du recueil *Voltaïque :* « Noumbé découvrit que tout cela s'insérait dans un univers commun à toutes les femmes. Cette constatation ne l'amena pas plus loin, néanmoins l'envie de sortir du cercle de la polygamie achemina sa pensée — plutôt égarement de sa part — à se poser la question : « Pourquoi acceptons-nous d'être le jouet des hommes ? »[1]. La méditation se poursuit, plus amère : « Elles avaient été objets désirés, convoités, choyés pendant un certain temps. Puis l'homme, comme un charognard rassasié, les avait dédaignées en laissant à sa place dans leur cœur le venin du chagrin de la comédie »[2]. Dans une autre nouvelle du recueil, *Lettres de France*, nous voyons une jeune femme mariée à un vieillard protester avec violence contre la place que les hommes réservent à la femme : « Que m'importe ce que pense ou pensera la colonie africaine. Eux, savent-ils ma souffrance ? Mesurent-ils les degrés de ma chute ? N'ai-je pas le droit d'aimer, de rire, de sortir ? Non, bien entendu. Ils sont des hommes. Des hommes avec des idées conservatrices, bien ataviques »[3]. Enfin, cette autre confidence donnera une idée de la haine qu'elle finit par porter à son mari, symbole d'un monde qu'elle déteste : « Le tuer à coups de bâton ne m'aurait pas satisfaite... l'étendre sur une fourmilière, oui »[4].

L'emprise du groupe ne se manifeste pas seulement par le maintien d'institutions ou de coutumes contre lesquelles vient se heurter l'individu. Le roman nous montre fréquemment ce dernier trouvant un obstacle à son désir d'indépendance dans *le principe même de la vie collective* qui caractérise la plupart des sociétés africaines. L'individu peut d'abord se trouver sérieusement entravé par le fameux idéal communautaire. C'est ce qui arrive au héros du roman de Ferdinand Oyono, *Le vieux nègre et la médaille*. Méka qui vient d'annoncer aux siens que les Blancs vont lui décerner, le 14 juillet prochain, une décoration pour son long dévouement se voit immédiatement submergé par la foule de tous ceux qui s'apprêtent à participer aux réjouissances.

1. *Voltaïque*, p. 57-58.
2. *Ibid.*, p. 59.
3. *Ibid.*, p. 98.
4. *Ibid.*, p. 99.

L'occasion était belle de traiter le sujet sur le mode satirique et l'auteur ne s'en est pas privé : le « revers » de la médaille est évoqué avec beaucoup d'humour. Mais Oyono ne s'est pas limité à l'aspect « économique » des rapports de l'individu avec son groupe. Il a souligné combien le mérite d'un membre de la collectivité rejaillissait sur celle-ci tout entière : on est fier d'avoir un héros. D'autre part, l'auteur a rappelé que dans le contexte qu'il évoque, la collectivité restait souvent le seul refuge. A la fin du roman, les Blancs ont vite oublié les services rendus par Méka et le persécutent. Ce dernier, d'abord emprisonné, finit par être libéré et, de retour au village, ne songe plus à maudire ceux qui l'accueillent et en qui il trouve un puissant réconfort.

Sembène Ousmane, dans sa nouvelle *Le mandat*, traite un sujet assez voisin : le vieux Dieng vient de recevoir un mandat de 20 000 francs, mais avant même de pouvoir le toucher, il s'en trouve rapidement dépouillé par les avances qu'il est obligé de verser à ses amis et parents qui le sollicitent sans relâche. Finalement, le vieillard ne reverra jamais son argent : « le protecteur » chargé par lui d'aller à la poste à sa place disparaît en emportant la somme. Il y a là une condamnation beaucoup plus nette que chez Oyono du parasitisme, cette forme dégradée de la solidarité, et Sembène Ousmane ne croit guère aux vertus de la collectivité traditionnelle.

D'autres personnages voient en celle-ci moins une exploitation ou un parasitisme qu'un obstacle à l'affirmation de leur personnalité individuelle. C'est ce dont souffre la petite Maïmouna encore enfant lorsqu'elle prend la défense de son amie Kan avec laquelle sa mère ne veut pas la voir jouer : « Elle sentait, écrit Sadji, beaucoup de pitié pour la brave petite Kan, si naïve, si spontanée. Comment penser qu'une créature aussi délicieuse puisse ne pas être comme tout le monde, avoir une personnalité double et des instincts d'ogresse »[1]. Le désir d'indépendance de l'héroïne apparaît de façon encore plus nette dans ses jeux avec sa poupée, sa « dome », qui lui permettent d'échapper à l'emprise morale du groupe : « Maïmouna, à vrai dire, ne se possédait entièrement que lorsqu'elle était seule avec sa « dome ». Pour leurs tête-à-tête, toute présence étrangère lui était importune »[2]. De même, Mongo Béti a décrit dans *Ville cruelle* les luttes de Banda pour échapper à des normes qui étouffent sa personnalité profonde. L'idée est reprise tout au long de *Mission terminée* et Jean-Marie, le narrateur, nous confie qu'il se sent brimé par un monde incapable de discerner ses véritables aspirations. Incompréhension totale à tous les niveaux : si Jean-Marie a entrepris des études au lycée c'est certainement, pense-t-on, pour être un jour aussi puissant que l'administrateur blanc. La hiérarchie

1. *Maïmouna*, p. 23.
2. *Ibid.*, p. 24.

traditionnelle conserve toute sa rigueur et le héros retrouve ce carcan auquel il se soumet comme ses compatriotes. Mais, fait beaucoup plus grave, Jean-Marie découvre que sa condition de citadin lettré lui crée des obligations inconnues de ses camarades restés au village : plus savant que les autres, il est plus utile à la communauté et se doit de toujours prêter à celle-ci son concours éclairé. Il appartient entièrement au groupe et ne peut jouir d'une personnalité propre. Ne pouvant aimer, comme il l'entend, Éliza, il se rend compte alors qu'il est une victime et confie ces propos amers à son lecteur : « Je pensais : Je ne verrai pas Éliza... ce soir. Aujourd'hui, je crois que cette Éliza était devenue dans mon esprit l'incarnation de la liberté absolue, la liberté des jeunes paysans, des Yohannés le palmipède, le Désossé, Fils-de-Dieu, etc. Cette liberté que je convoitais comme le bien le plus cher que je pusse acquérir et que plus jamais probablement il ne me serait possible de posséder. Sans presque m'en rendre compte, je n'étais plus qu'un holocauste sur l'autel du progrès et de la civilisation. Envolée ma jeunesse... Je payais une terrible rançon. Mais rançon de quoi ? Rançon d'être allé à l'école par la volonté de mon papa omnipotent ? Rançon de m'être fait à l'école faute de pouvoir me livrer aux jeux dont les enfants de mon âge et de mon pays étaient coutumiers ? Je n'aimais pas précisément Éliza, tout au plus, la désirais-je, de ce désir que le sujet n'ose même pas s'avouer à lui-même et qui doit être caractéristique de l'inexpérience. Maintenant, ce rendez-vous irrémédiablement manqué avec Éliza me révélait d'une façon encore informe mais déjà obsédante que si je continuais dans la voie où je m'étais engagé malgré moi, je ne serais jamais moi-même, je n'aurais jamais de personnalité, je ne serais jamais qu'une vue de l'esprit, un mythe, une abstraction avec laquelle les humains, mes frères, joueraient comme ils voudraient, sans souci de savoir si cela lui plaisait »[1].

Les romanciers décrivent l'insatisfaction de leurs personnages mais l'expliquent-ils ? Certes, l'évolution économique et politique est évoquée et des auteurs comme Camara Laye, dans *Dramouss*, Seydou Badian, dans *Sous l'orage*, Mongo Béti, dans *Ville cruelle*, insistent sur l'appauvrissement du miileu traditionnel, raison du malaise éprouvé par tel ou tel héros ou héroïne. D'autres romanciers parleront de la rigidité des institutions de l'ancienne société et particulièrement de la hiérarchie à laquelle elle est soumise : on l'a vu à propos de *Mission terminée* et du *Débrouillard*. Cependant, si l'on considère l'ensemble des romans d'auteurs africains, ces causes ne sont pas les seules, ni peut-être les plus effectives. Car le malaise naît à partir du moment où l'individu, entendant parler d'un « ailleurs » prestigieux et relati-

---

1. *Mission terminée*, p. 94.

vement facile à atteindre, sait qu'il a la possibilité de « changer la vie » et, c'est seulement plus tard, lorsqu'il aura l'occasion, grâce à l'expérience, de comparer le monde moderne et le milieu traditionnel, qu'il étoffera de considérations diverses[1] ce mouvement initial.

C'est ce *désir perpétuel d'autre chose* qui anime Georges Bessongo, le héros de *Vers de nouveaux horizons*, Tanhoé Bertin, « le nègre à Paris » de Bernard Dadié, Aki Barnabas, dans *Chemin d'Europe* de Ferdinand Oyono, Karim et Fara les héros de O. Socé, Nini et Maïmouna chez Ab. Sadji. Le cas de cette dernière est particulièrement significatif. L'existence traditionnelle ne lui plaît pas et l'auteur évoque ses différentes tentatives d'évasion hors de la vie réelle. Ses jeux solitaires avec sa poupée en étaient la première forme. Puis nous la voyons rêver à un monde inaccessible et légendaire : celui de la courtoisie sénégalaise : « Éperdument, toutes les scènes de courtoisie sénégalaise hantaient son cerveau de petite fille noire. Elle revivait à la place de Nabou, ces entrées grandioses et les salamalecs nombreux et recherchés. » Finalement, ce qu'elle recherchait dans un passé lointain est presque à sa portée : Dakar va matérialiser toutes ses aspirations : « L'évolution de cet état confina bientôt à la mélancolie et à la souffrance. Le village ne lui disait plus rien, l'amour et la protection de sa mère la laissait indifférente ; une seule idée, un seul rêve emplissait sa jeune tête : répondre à l'invitation de Rihanna, aller à Dakar »[2].

Ceci nous amène à nuancer une opinion courante concernant la littérature africaine. On a dit souvent que « rien ne lui était plus étranger que l'exaltation de l'individu » et la remarque se révèle juste si l'on s'en tient au contenu même des romans : tous ramènent le bonheur de l'individu à l'appartenance à un groupe, une cohésion qui le dépasse : famille, hier, race et nation moderne, aujourd'hui, humanisme à l'échelle planétaire, demain. Mais c'est oublier que la vérité d'une œuvre d'art ne réside pas toujours dans sa signification intelligible. L'échec de tant de personnages à la recherche d'eux-mêmes est, de la part du romancier, beaucoup plus une constatation qu'une condamnation de la tentative en tant que telle. Il y a trop de complaisance dans l'évocation des rêves de Fara, de Maïmouna, de Georges Bessongo, d'Ahouna pour n'y pas découvrir l'affirmation pure et simple de l'individu et son éternelle quête de bonheur qui, selon les tempéraments, s'apparente à celles de Julien Sorel ou de Mme Bovary[3].

---

1. L'insatisfaction apparaît à plus forte raison comme une motivation psychologique quand l'expérience ultérieure du personnage est une déception (*Climbié, Mirages de Paris, Maïmouna, Ville cruelle*, etc.).

2. *Maïmouna*, p. 45.

3. Nul, peut-être, n'a mieux évoqué l'instabilité d'un personnage que O. Socé, dans *Mirages de Paris* : « Fara était atteint d'un mal étrange : le mal de Paris ; la cause prédisposante avait été son tempérament, son imagination vive, son enthousiasme facile qui avait trouvé nourriture dans ses lectures. La cause

B. *L'angoisse d'être nègre.*

Si l'on excepte *Le fils du fétiche* de David Ananou et *Le débrouillard* de N. G. M. Faye, l'ensemble des romans africains donne une vision pessimiste de la situation faite à l'individu dans le monde moderne où, lassé par les siens, il s'attendait à trouver le bonheur. Des difficultés de toute sorte qu'on peut essayer de classer rapidement viennent l'assaillir et lui rappellent qu'il n'a pas sa place dans ce nouvel univers qu'il prétend habiter. Ainsi, Toundi, le narrateur d'*Une vie de boy*, Banda, héros de *Ville cruelle*, Mambéké, dans *Cœur d'aryenne* sont victimes du racisme policier le plus élémentaire. D'autres vont découvrir l'imposture que constitue une société fondée sur *l'inégalité raciale* — de fait sinon de droit — malgré les programmes politiques prometteurs. Songeons par exemple à l'amertume de Climbié à la fin du livre de B. Dadié ou du narrateur de *Cette Afrique-là* lorsqu'on institue la « loi de l'indigénat et du travail forcé ». Les personnages de Sembène Ousmane s'aperçoivent qu'ils seront toujours des prolétaires. Le désenchantement est encore plus profond lorsqu'on se rend compte que le monde nouveau est par essence inhospitalier et corrupteur. Le mercantilisme finit par être la seule valeur et l'ancienne solidarité disparaît comme en fait l'expérience le vieux Dieng, dans *Le mandat*. Même quand il n'est pas franchement hostile, le monde moderne reste toujours incompréhensible pour l'individu noir : l'étonnement perpétuel de Jean-Marie Medza, de Fara ou de Tanhoé Bertin, héros d'*Un nègre à Paris*, suffiront à le montrer. Il peut arriver que certains personnages surmontent ces difficultés et s'affirment sur le plan social mais ces cas de réussite évoqués par les romanciers ne doivent pas faire illusion : ils sont extrêmement rares et ne se produisent qu'avec la bienveillance d'un *deus ex machina*, comme M. Gabe, dans *Kocoumbo, l'étudiant noir*, ce qui ne fait qu'accentuer leur caractère exceptionnel. Le monde moderne révèle ainsi à l'individu africain sa solitude profonde inséparable de sa condition d'homme noir. C'est ce que confiait Jean-Marie Medza, à son lecteur, dans les dernières pages de *Mission terminée :* « Cela (la « mission » dont le lycéen avait été chargé par les siens : ramener à son foyer l'épouse de Niam) m'a permis de découvrir que le drame dont souffre notre peuple, c'est celui d'un homme laissé à lui-même dans un monde qui ne lui appartient pas, un monde qu'il n'a pas fait, un monde où il ne comprend rien, c'est le drame d'un homme sans direction intellectuelle, d'un homme marchant à l'aveuglette la

---

déterminante fut Paris. Il était atteint du même mal que cette fille de province qui préfère être domestique dans une grande maison plutôt que de s'enterrer dans son village natal, avec comme distraction, l'honnête besogne rurale » (p. 73).

nuit dans une quelconque New York hostile. Qui lui apprendra à ne traverser la Cinquième Avenue qu'aux passages cloutés ? Qui lui apprendra à déchiffrer le « Piétons, attendez » ? Qui lui apprendra à lire une carte de métro, à prendre des correspondances ? »[1].

Cet homme voué par sa peau à la solitude choisit pourtant de vivre, mais ce choix l'amène à prendre conscience de sa situation particulière dans le monde et, par là même, à découvrir que l'angoisse est son lot. Il n'y a pas à proprement parler de roman entièrement consacré à l'angoisse du négro-africain, mais l'examen des principales œuvres romanesques permet d'en saisir les aspects les plus importants. *L'angoisse naît d'abord d'une perception nouvelle du temps.* L'individu africain qui vivait jusque-là dans le temps mythique de l'organisation sociale traditionnelle, se voit soumis, au contact du monde moderne, à la loi du temps historique. Ce changement, en affectant la matérialité du monde, bouleverse profondément les structures mentales de l'individu. Ce dernier savait, même quand il entrait ouvertement en conflit avec lui, que le milieu traditionnel, reposant sur la communion intime de l'homme avec les ancêtres et la nature, offrait un refuge contre l'horreur d'un destin solitaire. Comme l'écrit Jacques Maquet, la mort « n'avait pas le caractère tragique et scandaleux qu'elle revêt dans les traditions individualistes. Là, elle est l'anéantissement d'un être ayant sa fin en lui-même — ce qui est absurde — tandis qu'en Afrique elle est la disparition d'un être dont la réalité dernière est entièrement relative à des entités qui lui sont préexistantes et qui lui survivent : le lignage, la société, le monde. Ce sont des réalités solides, non l'individu. Comme il ne s'est jamais complètement séparé d'elles pendant sa vie, il ne perçoit pas sa mort comme la brisure totale »[2]. Ainsi, on ne peut vraiment tout à fait comprendre une phrase comme celle-ci de Jean Ikellé-Matiba : « Je me sentais de plus en plus camerounais. J'étais complètement détribalisé »[3], si l'on oublie cette caractéristique essentielle de la société africaine traditionnelle. Nous touchons là, sans aucun doute, à l'un des thèmes majeurs du roman africain d'expression française. Certes, tous les auteurs ne l'ont pas traité expressément mais il existe, sous-jacent, dans la plupart des œuvres. Rares sont les romans qui ne consacrent pas au moins quelques pages à l'évocation d'une enfance heureuse à laquelle ils opposeront la vie difficile et parfois tragique de l'adulte. Cette permanence du thème et cette structure antithétique sont particulièrement significatives. Sans en avoir toujours conscience, les romanciers ont ainsi voulu souligner, sur un mode poétique, le déchirement de l'individu arraché malgré lui à ce temps mythique de la tribu et hors duquel la vie semble n'avoir plus aucun

---

1. *Mission terminée*, p. 251.
2. *Africanité traditionnelle et moderne*, p. 66.
3. *Cette Afrique-là*, p. 113.

goût. Cette angoisse d'autre part est d'autant plus atroce que l'évolution qui la provoque est inéluctable. Qu'il le veuille ou non, l'individu est concerné. L'évolution qui marque le monde — naguère encore familier — est irréversible et il apparaît tout à fait impossible de lui échapper. Camara Laye a particulièrement insisté sur cet aspect de l'angoisse et son témoignage prend encore plus de poids si l'on songe à toutes les pages où l'auteur de *L'enfant noir* affirme l'accord profond qu'il sent entre son pays et lui. Il écrivait notamment, après avoir évoqué quelques-uns de ces prodiges quotidiens qui enchantèrent son âme d'enfant : « Je ne veux rien dire de plus et je n'ai relaté que ce que mes yeux ont vu. Ces prodiges en vérité, c'étaient des prodiges ! J'y songe aujourd'hui comme aux événements fabuleux d'un lointain passé. Ce passé pourtant est tout proche : il date d'hier. Mais le monde bouge, le monde change et le mien plus rapidement peut-être que tout autre, et si bien qu'il semble que nous cessons d'être ce que nous étions, qu'au vrai nous ne sommes plus ce que nous étions, et que déjà nous n'étions plus exactement nous-mêmes dans le moment où ces prodiges s'accomplissaient sous nos yeux. Oui, le monde bouge, le monde change ; il bouge et change à telle enseigne que mon propre totem — j'ai mon totem aussi — m'est inconnu »[1].

Alors, devant cette évolution inéluctable, que peut faire l'individu ? Il lui est loisible d'accepter le mouvement et d'adopter le point de vue de tous ceux qui en sont à l'origine. Mais l'angoisse dans ce cas risque seulement de changer de forme et de devenir tout simplement la hantise d'être un « *renégat* », pour reprendre le titre d'un admirable poème de David Diop. Cette crainte apparaît ainsi dans la mise en garde adressée par Tieman à Birama, dans *Sous l'orage* : « Vous avez tort de vouloir tout laisser tomber. Vous avez tort d'essayer d'imiter les Européens en tout. Comprends-moi bien. L'homme européen n'est qu'un des multiples aspects de l'homme. On ne vous demande pas d'être Européens. On ne vous demande pas de vous défigurer »[2]. De même, c'est au nom d'un intérêt supérieur où l'héritage traditionnel trouvera finalement son compte que la Grande Royale, dans *L'aventure ambiguë*, souhaite que les gens du Diallobé envoient leurs enfants à l'école européenne, en espérant que la plupart d'entre eux sauront rester fidèles à eux-mêmes : « Notre grand-père, s'écrie-t-elle, ainsi que son élite, ont été défaits. Pourquoi ? Comment ? Les nouveaux venus seuls le savent. Il faut le leur demander ; il faut aller apprendre chez eux l'art de vaincre sans avoir raison. Au surplus, le combat n'a pas cessé encore. L'école étrangère est la forme nouvelle de la guerre que nous font ceux qui sont venus, et il faut y envoyer notre élite, en

---

1. *L'enfant noir*, p. 91.
2. *Sous l'orage*, p. 119.

attendant d'y pousser tout le pays. Il est bon qu'une fois encore l'élite précède. S'il y a un risque, elle est la mieux préparée pour le conjurer, parce que la plus fermement attachée à ce qu'elle est »[1].

Un autre aspect du problème de la fidélité à soi-même a été quelquefois abordé par des romanciers mettant en scène un *personnage africain amoureux d'une femme blanche*. Ousmane Socé fut le premier à traiter ce thème avec *Mirages de Paris*. Nul n'a mieux montré le conflit entre les aspirations individuelles et les exigences de la solidarité raciale. Étranger à Paris, Fara devient l'amant de Jacqueline, en partie, pour prendre une revanche sur « l'ironie protectrice »[2] des passants et pour s'affirmer en tant que noir. Plus tard c'est encore l'hostilité des parents de Jacqueline qui le pousse à se marier et à remplir scrupuleusement, mieux qu'il ne l'aurait fait, toutes les obligations de sa nouvelle charge : « Dans un sursaut d'orgueil, il se disait qu'il tiendrait tête à l'Europe ; il se poserait en homme sur tous les plans de la vie et si, malgré tout, les préjugés le brimaient, son âme se poserait en égale et continuerait à protester jusqu'au jour du jugement dernier »[3]. C'est alors que l'individu se révolte à l'idée que Jacqueline a pu obéir à des motifs semblables et qu'elle aime en Fara non sa personne, mais le représentant d'un groupe brimé : « Et cette jeune fille qui s'était donnée à lui par amour et par révolte morale, le paradoxe était qu'il sentait humiliant d'accepter son offrande »[4]. Mambéké, dans *Cœur d'aryenne*, se trouve devant un dilemme semblable : peut-il savoir si l'amour que lui porte la fille du cruel Roch Morax n'est pas pour elle un moyen de racheter les crimes de son père et d'effacer la solidarité qui, malgré elle, la lie à ce dernier ?

Comment les personnages surmontent-ils cette perpétuelle hantise de trahir les leurs, d'être infidèles à eux-mêmes ? Beaucoup cèdent au *renoncement ou à l'aliénation*. Il s'agit de personnages qui ont connu la période de la colonisation (et qui redoutent les conséquences funestes de toute innovation), comme la vieille mère Bessongo dans *Vers de nouveaux horizons* ou Maman Téné dans *Sous l'orage*. Quelquefois le renoncement n'est pas aussi total : pour Mongo Béti, les habitants de Kala dans *Mission terminée* font preuve plutôt d' « une imperturbable sérénité devant les vicissitudes éventuelles de la vie », ce dont l'auteur les félicite d'ailleurs. Il peut arriver aussi que la soumission apparente cache une vive agressivité à l'égard des maîtres du jour. Celle-ci peut se manifester différemment selon les caractères et les situations : humour chez Méka et ses amis, enfin désabusés sur le crédit qu'on doit accorder à l'amitié des Blancs, hostilité secrète et

1. *L'aventure ambiguë*, p. 52.
2. *Mirages de Paris*, p. 64.
3. *Ibid.*, p. 108.
4. *Ibid.*, p. 108.

méprisante chez Franz Mômha, dans *Cette Afrique-là*, et chez le père Djigui, dans *Sous l'orage*, suicide de Bakari sous les yeux de son propre fils, dans *Un piège sans fin*, pour ne pas obéir à un ordre de l'autorité locale qu'il jugeait dégradant. Tous se trouvent réunis dans un choix identique : le refus des valeurs « blanches ».

D'autres au contraire, victimes de leur aliénation, n'auront pas à surmonter le conflit puisqu'ils en ignorent même l'existence. Ce genre de personnage apparaît çà et là dans le roman. Il peut agir par intérêt, comme le père de Jean-Marie Medza, dans *Mission terminée*, « exemple vivant de ce que le matérialisme mercantile et hypocrite de l'Occident, allié à une intelligence fine, peut donner de plus admirable »[1]. De même, les boys de Mme Hébrard, l'hôtelière mise en scène par Ferdinand Oyono, dans *Chemin d'Europe*, n'hésitent jamais à adopter le point de vue de leur patronne et chasseront avec la plus grande brutalité leur collègue et congénère Aki Barnabas. D'autres — et c'est le cas le plus fréquent — sont seulement séduits par le côté extérieur de la civilisation matérielle de l'Europe : ce sont les « nègres toubab », comme Doudou Diouf dans *Maïmouna*, Bilali, le riche commerçant évoqué par Camara Laye dans *Dramouss*, ou Anatchia, la « négresse à Européen » raillée par F. Oyono dans *Chemin d'Europe*. On ne peut vraiment considérer comme des victimes de l'aliénation, des personnages comme Toundi, narrateur d'*Une vie de boy* et Denis, auteur supposé du journal qui constitue *Le pauvre Christ de Bomba* bien qu'ils valorisent toujours les Blancs et éprouvent un perpétuel sentiment de culpabilité. L'intention d'Oyono et de Mongo Béti est de faire une critique amusée et violente en ayant recours à un procédé littéraire, le personnage naïf, beaucoup plus que de présenter à leurs lecteurs une analyse du phénomène de l'aliénation. On constate alors que le roman reste en fin de compte bien discret sur cet aspect douloureux de la psychologie africaine d'aujourd'hui et l'on peut être surpris de ne pas trouver chez les romanciers la clairvoyance dont faisait preuve Albert Memmi dans son *Portrait du colonisé*[2].

Le renoncement ou l'aliénation ne sont pas, bien entendu, les seuls moyens par lesquels l'individu, dans le roman, essaye de surmonter le conflit qui l'angoisse. Il peut d'abord *assimiler les valeurs européeenes* et s'y soumettre. Cette démarche, consciente, ne doit pas se confondre avec l'aliénation qui est, comme on l'a vu, ignorance du conflit. Cette adoption des valeurs étrangères varie selon les personnages évoqués, mais elle peut se ramener à deux grands types. Le premier consiste à prendre à l'Occident tous les avantages matériels et à attendre le bonheur de la civilisation de consommation. L'œuvre qui illustre

---

1. *Mission terminée*, p. 232.
2. On lira notamment, p. 136 (Édition Pauvert), « Les valeurs refuges » et, p. 156, « L'amour du colonisateur et la haine de soi ».

le mieux cette façon de voir est *Le débrouillard* de N. G. M. Faye. Ayant eu à choisir entre l'Afrique et l'Europe, l'auteur a choisi l'Europe dont il fait l'éloge tout au long du livre. Mais le narrateur n'est pas le « renégat » que nous évoquions plus haut ; il a conservé des liens avec sa famille et plus particulièrement avec sa mère. Il pense seulement que l'homme africain retrouvera son équilibre le jour où il aura un niveau de vie suffisant et qu'il aura fait sien le style européen. Une telle attitude est rare dans le roman et généralement l'attrait de l'Europe ne s'exerce pas de la même manière. Les personnages qui ont adopté consciemment des façons de voir européennes sont séduits surtout par le positivisme occidental plus que par le prestige des biens matériels. Ousmane Socé, dans *Karim*, nous présentait déjà un « bachelier, esprit fort » qui « parlait de nettoyer les traditions sénégalaises et de pratiquer une européanisation immédiate à outrance »[1]. Seydou Badian, dans *Sous l'orage*, met également en scène de jeunes révolutionnaires qui désirent rompre complètement avec le passé et Sembène Ousmane aborde dans *Le docker noir* et *L'Harmattan* le problème de l'Africain marxiste. Mais ces personnages n'inspirent pas confiance : comment peuvent-ils rejeter les traditions sans être du côté des Blancs, disent leurs détracteurs ?

Devant ce risque d'apparaître aux yeux des autres un étranger, un ennemi de la société traditionnelle, la *négritude*[2] semble à beaucoup l'unique remède contre l'angoisse. Bien qu'il en soit fréquemment question dans le roman, la notion reste confuse et il n'est pas toujours aisé de discerner la position des auteurs sur le sujet. Essayons, cependant, d'en voir les aspects principaux. Certains personnages se réfugient dans une négritude exclusive. Ainsi, dans *Mirages de Paris*, nous voyons Sidia, le « philosophe », s'opposer violemment au métissage physique : « Il ne faut pas que nous, élite noire, disait-il à Fara, nous ayons des enfants métis. Et ceux-ci retourneront à la race blanche un jour ou l'autre »[3]. La position du « philosophe » installé à Paris, nourri de culture européenne, affaiblissait sérieusement sa thèse et Fara se faisait un plaisir de le lui montrer. Plus tard, avec *Faralako*, Émile Cissé se faisait l'apologiste de la négritude et abordait le problème avec beaucoup plus d'ampleur et de netteté. Ni, étudiant à Paris depuis sept ans, part brusquement pour son village natal, Faralako, après avoir reçu une lettre de sa mère, la vieille Nâ. La lettre de Nâ est d'abord pour Ni l'occasion de se laver d'une faute dont il n'est pas responsable mais qui l'accable : il est le fils d'un Blanc criminel qui autrefois a abandonné sa mère. Il lui faut donc oublier au plus vite sa vie en Europe qui le rend solidaire de son père : « Sa culture

---

1. *Karim*, p. 103.
2. Voir notre appendice II.
3. *Mirages de Paris*, p. 146.

livresque s'écroule dans sa malheureuse cervelle cependant que les insaisissables de la mystique investissent son âme et que lui remontent à la mémoire les tendres et douces berceuses de son enfance »[1]. Tel est pour lui le sens profond de l'appel du pays. A mesure qu'il reprend contact avec les siens, Ni ébauche une véritable philosophie de la négritude qui va désormais donner un sens à sa vie villageoise. Le point de départ en est la différence qui existe selon lui entre l'Européen et l'Africain : « Il devra, nous dit Cissé, en retrouvant les siens ne plus raisonner comme il le faisait encore un jour plus tôt au Quartier Latin. Ses frères de Faralako sont des êtres en proie à la puissance de cette sentimentalité qui marque à maints égards la supériorité du Noir d'Afrique sur le Blanc affadi, déformé et dénaturé par la civilisation mécanique »[2]. Peu à peu, il sent s'établir entre la nature et lui une véritable participation mystique : il va se souvenir « du langage des nuages, du langage des cailloux, de l'eau et des arbres, du langage des chants d'oiseaux. Ni a été circoncis et n'ignore rien de tout cela »[3]. Il envisage enfin une véritable redécouverte de la culture africaine dont la science ancestrale sera le soubassement.

Faralako constitue cependant une exception et, dans ce domaine, le roman se différencie nettement de la poésie. La négritude pure et agressive, ce rejet total de l'Occident qui faisait toute le beauté violente du *Cahier d'un retour au pays natal* de Césaire, n'y figure pas. Cette particularité vient sans doute de ce que le roman ne se déroule pas dans le même temps que la poésie. Le monologue intemporel du poète nègre essayant d'embrasser sous son regard l'essence des êtres et des choses est incompatible avec le genre romanesque, succession de situations insérées dans un déroulement concret au sein duquel se meuvent des personnages chargés, par le romancier, non de condamner ou de juger la totalité d'un phénomène, mais de vivre, de s'adapter et parfois d'humaniser la situation. Il n'est pas exclu, non plus, que les auteurs aient éprouvé quelque répugnance à condamner l'Occident dans la langue même de ce dernier, reproche qui ne concerne que très peu les poètes puisqu'ils sont arrivés à créer un style tout a fait original, n'ayant que des rapports très lointains avec celui de la poésie française. On trouve au contraire chez certains romanciers l'expression d'une négritude sereine, sorte de paradis perdu dont le souvenir est pour l'individu une profonde consolation. Ainsi, Fara, dans *Mirages de Paris*, aimait rappeler à Jacqueline son enfance et se réfugier avec elle dans l'univers mythique du conte de Penda. L'exemple le plus frappant de cette négritude sereine est constitué par *L'enfant noir*.

1. *Faralako*, p. 14.
2. *Ibid.*, p. 16.
3. *Ibid.*, p. 57.

Racontant son enfance dans le milieu traditionnel, Camara Laye tient à affirmer que cette période a été pour lui la plus heureuse de sa vie. L'existence que peut mener, dans la brousse guinéenne, un individu, perpétuellement étonné par les prodiges d'un fantastique quotidien et familier, sont pour l'auteur l'image même du bonheur qu'il ne songe pas à aller chercher ailleurs. Jean Blanzat soulignait, dès la parution du livre, la position originale de Camara Laye : « Comment Camara Laye ressent-il une métamorphose commencée depuis 1945 et qui va s'achever ? Est-il partagé entre deux univers dissemblables ? Comment juge-t-il celui où il a grandi, et dont il a appris nécessairement la singularité et les limites ? Qu'en retient-il, et qu'en rejette-t-il ? C'est sans doute la plus grande surprise qu'apporte ce livre. Pour Camara Laye, ces questions ne se posent pas. Il fait confiance aux Blancs, mais rien de ce qu'il apprend d'eux ne touche sa vie profonde. Il n'y a chez lui aucune inquiétude intellectuelle. Sa « fidélité » est totale. Il ne se sent séparé des siens par aucune « distance intérieure », mais seulement, par l'espace géographique. Il ne fait dans son esprit aucun tri pour garder ou rejeter : il garde tout, car si l'esprit a pu changer, l'esprit est resté le même.

» Le témoignage de Camara Laye, montre comment, dans un cas extrême, le cœur résout le problème : en l'ignorant ! »[1]. Dépassant la plupart des autres romanciers chez lesquels on retrouve le thème, mais de façon éparse et timidement exprimé, Camara Laye veut ainsi traduire l'une des aspirations fondamentales du négro-africain exilé dans le monde moderne, le désir de l'unité enfin retrouvée. On songe aux vers d'*Éthiopiques* :

Je ne sais en quels temps c'était, je confond toujours l'enfance et l'Éden comme je mêle la mort et la vie — un pont de douceur les relie.

Mais il semble bien fragile, ce bonheur qu'on situe dans le passé et les dernières pages de *L'enfant noir* dissimulent mal l'échec de la tentative du narrateur pour surmonter le déchirement et échapper au temps.

Le problème subsiste donc. Aussi, pour le résoudre, la grande majorité des romanciers envisagent-ils une autre solution que la négritude « exclusive » ou « sereine ». Pour eux le malaise ne peut être dissipé que par une *synthèse lucide des valeurs européennes et des valeurs africaines*. Dès avant la deuxième guerre mondiale, Ousmane Socé exprimait cette idée dans ses deux romans *Karim* et *Mirages de Paris* et faisait dire par exemple à son héros Fara : « De nos jours, il se forme en Afrique noire, comme cela s'est fait chez tous les peuples, à une époque donnée de leur histoire, un véritable accouplement avec un pays plus

---

1. Jean BLANZAT, *Le Figaro Littéraire*, 6 mars 1954.

avancé en civilisation, et d'où naîtra l'Afrique nouvelle... Pour la première fois, dans son histoire, notre pays vient d'être ouvert largement à un des plus grands courants de civilisation qui se soient éclos sur la terre. Nous nous trouvons mêlés, tout d'un coup, à la vie universelle. C'en est fait des vieilles traditions dans tout ce qu'elles contiennent d'incompatible avec le monde nouveau qui se crée ; nous nous métissons tous les jours, dans tous les domaines de l'activité humaine. Et de ce métissage va naître, en terre africaine, un monde nouveau »[1]. L'opinion d'O. Socé sera reprise par la suite, avec des variations, certes, mais le postulat initial, supposant la synthèse de deux courants d'origine différente, ne sera pas remis en question. Ousmane Socé réservait une large place à l'apport occidental. Il en est de même chez David Ananou, dans *Le fils du fétiche*, Mamadou Gologo, dans *Le rescapé de l'Éthylos* et Aké Loba, dans *Kocoumbo*. D'autres au contraire — et ce sont les plus nombreux — restreignent considérablement le côté positif de l'Occident. Mongo Beti, dans *Mission terminée*, rappelle que la civilisation matérielle est souvent un facteur de déséquilibre pour l'individu : « En quittant nos villages, écrit-il, nos tribus, nos cadres, nous ne l'avons plus cette sagesse : irrités, ambitieux, pleins d'illusions, exaltés, nous sommes les dupes éternelles »[2]. Sembène Ousmane dénonce la dégradation de l'ancienne solidarité, provoquée par une urbanisation trop hâtive. Seydou Badian, dans *Sous l'orage*, proclame la nécessité de rester fidèle aux valeurs traditionnelles et estime que rien ne pourra jamais se faire si le fossé qui sépare les jeunes des vieux continue à se creuser. Mais quelle que soit la dureté de certaines critiques adressées à l'Occident, nul ne songe à se passer de certaines de ses valeurs, au moins sur le plan technique. Il est ainsi très significatif de voir le jeune Georges Bessongo dire à sa mère, dans les dernières pages de *Vers de nouveaux horizons* : « Comprends, Maman, comprends... Un jour ou l'autre, il me faudra repartir. Non, je ne te laisserai pas seule ici, mais tu viendras avec moi... et quand j'aurai suffisamment appris, c'est ici que nous reviendrons. Et alors tu me verras ouvrir la jungle épaisse au volant d'un bulldozer, si je ne dois revenir qu'agriculteur ; à moins que, géomètre, je ne vienne reconstruire Koliaklo de fond en comble en y traçant de merveilleuses rues droites que je baptiserai aux noms de nos frères esclaves, morts au cours des traversées des océans. J'aimerai encore mieux être médecin pour éviter d'autres Mariéna [sic] et cicatriser les larges blessures qui ont fait saigner les cœurs. Et si je revenais poète (et pourquoi pas après tout ?), brandissant la sonorité des mots, je fouetterai jusqu'au sang — oui, à mon tour moi aussi ! — les cœurs brisés de lassitude et, comme pour remplacer les stériles palabres des

---

1. *Mirages de Paris*, p. 148-149.
2. *Mission terminée*, p. 203.

ombrages, je chanterai pour relever les courages et tous les hommes entonneront avec moi le chant du lendemain... »[1].

Cette synthèse des valeurs, par laquelle l'individu essaie de résoudre ses propres problèmes, apparait sous une forme très particulière dans le roman de Jean Malonga, *Cœur d'aryenne*. Le livre retrace la vie du jeune Mambéké amoureux de Solange, la fille d'un colon cruel et cupide. La trame du roman est double. *Cœur d'aryenne* nous décrit d'abord les efforts que déploie Mambéké pour échapper à sa condition de fils de boy chez Roch Morax. Il réussit dans ses études et devient rapidement un instituteur qualifié et très estimé de ses supérieurs blancs qui l'ont pris en amitié. En un sens, c'est une victoire mais cette victoire ne saurait satisfaire le héros, puisque à ses yeux elle implique une division du monde en deux groupes antagonistes, aux intérêts éternellement opposés. Aussi, parallèlement à cette réussite sur le plan social, l'auteur évoque-t-il l'évolution interne de Mambéké et des principaux personnages. Ceux-ci, qu'ils soient Européens ou Africains, ne peuvent abolir un passé traumatisant que par le sacrifice d'eux-mêmes. Là est leur véritable victoire. Sacrifice de Mambéké lorsque encore enfant il risque sa vie pour sauver la petite Solange qui allait se noyer ; sacrifice de Marie-Rose, la mère de Solange, qui meurt en pardonnant à Roch Morax et en offrant sa vie pour que ses deux « enfants », Solange et Mambéké, puissent un jour mener à bien la mystérieuse « mission » qu'elle n'a pas eu le temps d'achever. Sacrifice des deux amants qui dans leur amour ne doivent céder ni à la pitié ni au désir d'humilier l'autre. Sacrifice enfin de Mambéké qui, tenté de se suicider, après que Roch Morax eut tué Solange parce qu'elle était enceinte d'un Noir, renonce à son geste pour se mettre au service de son peuple. C'est ainsi une conception quasi mystique de l'amour qui permet à Mambéké de surmonter toutes ses contradictions d'homme noir et à Solange de racheter, en dépassant singulièrement leur aventure particulière, les crimes raciaux. Écoutons celle-ci expliquer son amour : « Je ne suis pas fille de l'homme, dit-elle, un jour, à son ami. Je suis la fille de la femme, l'emblème du sacrifice. C'est toi, gros naïf, qui es le fils de l'homme et qui m'as vendu ton droit de fils de l'homme, ton droit d'aînesse, dominé, fasciné et subjugué que tu étais par ton imbécile, ton faux et négatif complexe d'infériorité. Je l'ai tué, moi, ton sale complexe, ce serpent visqueux, ce garrot qui t'entourait la gorge, t'empêchait de parler, de m'ouvrir ton cœur... Je vais devenir tout simplement ta femme devant Dieu. Je viens de tuer en moi l'Aryenne en même temps que j'écrasais ton complexe... Allons ! cher époux, viens maintenant embrasser celle qui fut la fille de l'homme, l'Aryenne inaccessible et qui n'est plus que la fille de la femme qui te donne son

---

1. *Vers de nouveaux horizons*, p. 189 et 190.

cœur, ton épouse qui sera toute à toi quand tu le demanderas, quand tu voudras, quand tu n'auras plus peur de la femme blanche à laquelle je viens d'arracher son cœur d'Aryenne pour le remplacer par celui de la femme »[1].

Ainsi, la synthèse des valeurs nègres et blanches apparaît, avec les variations que nous venons de voir, comme le moyen que les romanciers proposent le plus volontiers à leurs personnages pour résoudre les difficultés inhérentes à la condition de l'Africain d'aujourd'hui. Mais, là encore, il semble bien que cette nouvelle tentative de libération soit, comme les autres, un échec. Cette façon de voir n'empêche pas Fara, lui qui se faisait l'apôtre du « métissage », de se suicider, ni Jean-Marie Medza, Climbié ou le vieux Dieng, par exemple, d'être complètement désabusés sur l'avenir qui les attend. Tout se passe comme si les idées qu'on leur prête n'avaient aucune efficacité pratique. D'autre part, *la structure même des romans* est fort significative. Ce n'est en général que dans les dernières pages que le thème de la fusion des deux cultures prend toute son ampleur. Les difficultés présentes sont considérables, le romancier ne le nie pas, mais elles porteront un jour leurs fruits et, plus tard, l'individu retrouvera la paix et l'unité perdues. C'est ce que dit dans le discours final, que nous évoquions plus haut, Georges Bessongo. De son côté, Jean Ikellé-Matiba, dans *Cette Afrique-là*, prête à son héros Franz Mômha ces propos : « Les choses ont beaucoup changé. J'espère que mon fils Rudolph verra des choses plus exaltantes aux jours de sa vieillesse »[2]. De même, dans *Cœur d'aryenne*, Mambéké remercie en ces termes sa sœur qui l'a détourné du suicide : « Merci, petite sœur, la compagnie des Évolués, le commerce avec les hommes venus de si loin et leur rhétorique avaient tué en moi le sens et la notion de la responsabilité. J'étais devenu moi aussi un individualiste. Tu as raison, remontons à la Vie, pour la vie, pour la lutte, pour souffrir encore afin de mieux mériter. Viens ! Nous regagnons le village et l'école. C'est là qu'est la Voie de la sagesse, de la Raison et du Salut. Il faut vaincre !... »[3]. *Dramouss* se termine par une phrase semblable : « La légalité reviendra aussi. Et alors vous serez réconciliés avec vous-mêmes et avec les autres. Même avec ce pays dont vous parlez la langue »[4]. Il serait facile d'ajouter d'autres exemples tirés du *Rescapé de l'Éthylos*, des *Dernières paroles de Koimé*, d'*Avant Liberté I* de Cheikh Dia, ou de *Sous l'orage*, pour ne citer qu'eux. Ainsi, qu'il s'abandonne au scepticisme ou, au

---

1. *Cœur d'aryenne*, p. 235. N'oublions pas que la suite du roman dément ce bel optimisme : Mambéké reniera dans les dernières pages son amour pour Solange.
2. *Cette Afrique-là*, p. 239-240.
3. *Cœur d'aryenne*, p. 285.
4. *Dramouss*, p. 246

contraire, qu'il se raccroche à l'espoir d'un lendemain meilleur, l'individu, d'après le roman, ne semble pas actuellement trouver dans la synthèse des valeurs une solution au conflit qui le déchire. Le problème demeure entier.

C. *Le problème de la liberté.*

Cette contradiction du roman, entre la situation actuelle de l'individu incapable de surmonter son angoisse et l'avenir radieux qui lui est annoncé nous amène à penser que le problème de l'individu négro-africain est beaucoup plus complexe et qu'il dépasse largement les limites dans lesquelles les romanciers s'efforcent de le circonscrire. L'échec des personnages dans leur tentative de libération a de quoi nous étonner. Nous le comprendrions mieux si le romancier était résolument pessimiste et qu'il veuille nous donner une vision célinienne du monde. Or il n'en est rien et nous savons par ailleurs que le romancier africain est souvent un éducateur, voire même un conducteur de peuples, ce qui exclut dans une certaine mesure une complaisance dans la peinture de l'échec. D'autre part, le malaise du personnage s'explique parfois, moins par la logique interne de ce dernier que par la seule volonté du romancier et tout se passe comme si le créateur voulait que sa créature soit malheureuse. Mais craignant d'aller trop loin dans cette voie, il fait preuve de cet optimisme de surface dont nous parlions plus haut. Plus qu'une maladresse technique il faut voir dans cette attitude un refus de poser le vrai problème de l'individu africain et l'aveu inconscient et redouté du destin tragique et peut-être sans issue de ce dernier. La place unique occupée par *L'aventure ambiguë* de Cheikh Hamidou Kane dans ce débat jette une lumière significative. Le drame de Samba Diallo est en effet l'incarnation la plus complexe du déchirement de l'Africain d'aujourd'hui. Le conflit prend naissance en même temps que le héros. Comme le faisait remarquer Mme Battestini dans sa conférence, *L'angoisse chez les romanciers africains*[1], « contrairement aux autres enfants noirs des débuts de romans, Samba Diallo, très jeune Talibé, n'était pas exempt de préoccupations spirituelles ». La particularité valait la peine d'être notée puisqu'elle implique une vision de l'enfance radicalement différente de celle qui est exposée dans les autres œuvres littéraires. Ainsi, l'inquiétude préexiste à l'expérience future de Samba Diallo. Le déchirement de ce dernier apparaît d'abord, à un niveau relativement simple, sous l'aspect du conflit de deux cultures.

Le héros, dès son entrée à l'école européenne, est partagé comme tous les siens entre le respect de la tradition et l'attrait de l'Occident

---

[1]. *Actes du colloque sur la littérature africaine d'expression française, Dakar, 1963*, Dakar, 1965.

vainqueur. Du moins, à ce stade le conflit peut être surmonté par celui qui veut agir en se conformant aux intérêts supérieurs de son pays et la Grande Royale donnait ce conseil à son neveu : « Il faut aller apprendre chez eux, disait-elle à propos de l'école nouvelle, l'art de vaincre sans avoir raison »[1]. Mais ce qui est vrai pour la noble princesse ne l'est plus pour Samba Diallo qui se rend compte rapidement à Paris que son drame est autre : ce qui déchire le héros est moins l'opposition des deux cultures — au sens large du terme — auxquelles il participe que l'antinomie fondamentale qui lui semble exister entre la vie religieuse et la civilisation matérielle de l'Europe. Il est alors amené à se demander quelles sont les vraies valeurs susceptibles de donner tout son sens à une vie humaine. Si Dieu existe, comment peut-on vivre dans un monde qui nie sa transcendance, qui ne cherche nullement à se situer par rapport à la perspective des fins dernières ? Comme le dit le chevalier à Paul Lacroix : « Votre science vous a révélé un monde rond et parfait, au mouvement infini. Elle l'a reconquis sur le chaos. Mais je crois qu'ainsi, elle vous a ouvert au désespoir »[2]. Quelle signification accorder enfin au travail humain ? « Ce que l'on apprend vaut-il vraiment ce que l'on oublie ? », dira Samba Diallo.

Cette interrogation douloureuse ne résume pourtant qu'un aspect du drame du héros. La question suppose que le choix reste encore possible entre deux ordres de valeurs, d'autant plus que Samba Diallo n'hésite pas au besoin à souligner qu'il a plus de chances d'être placé « d'emblée au cœur de la chose »[3] dans sa patrie qu'en Occident. Or, à ce dernier stade, Samba Diallo s'aperçoit qu'il est devenu un être double, un monstre. « Il arrive, confie-t-il à M. Martial, que nous soyons capturés au bout de notre itinéraire, vaincus par notre aventure même. Il nous apparaît soudain que, tout au long de notre cheminement, nous n'avons pas cessé de nous métamorphoser, et que nous voilà devenus autres. Quelquefois, la métamorphose ne s'achève même pas, elle nous installe dans l'hybride et nous y laisse. Alors, nous nous cachons, remplis de honte »[4]. Et plus tard il répondra par ces mots à Pierre-Louis qui voulait ramener son déchirement au complexe « du mal-aimé » : « Je ne suis pas un pays des Diallobé distinct, face à un Occident distinct, et appréciant d'une tête froide ce que je puis lui prendre et ce qu'il faut que je lui laisse en contrepartie. Je suis devenu les deux. Il n'y a pas une tête lucide entre deux termes d'un choix. Il y a une étrange nature, en détresse de n'être pas deux »[5]. Désormais, Samba Diallo a beau essayer de se situer par rapport aux siens et par rapport à

1. *L'aventure ambiguë*, p. 52.
2. *Ibid.*, p. 95.
3. *Ibid.*, p. 176.
4. *Ibid.*, p. 133.
5. *Ibid.*, p. 175.

l'Occident, rejeter ce qui lui paraît des mythes comme le marxisme ou la négritude, comparer l'attitude respective des Européens et des Africains pour appréhender le réel, souligner que le destin différent des deux races n'est qu'un fait accidentel et que l'Afrique doit faire surgir au grand jour sa « nature originelle » pour qu' « éclate » son « identité » avec l'Europe, tout ceci ne saurait le satisfaire. Comment d'ailleurs pourrait-il en être autrement, puisque le héros est condamné à ne plus savoir qui il est ?

Ainsi, Cheikh Hamidou Kane évoque d'une manière tout à fait particulière l'angoisse de l'individu africain plongé dans le monde moderne. Il suppose d'abord que l'angoisse n'est pas une notion spécifiquement européenne et, en évoquant les doutes et l'inquiétude du jeune Samba Diallo, lorsqu'il était Talibé, il écarte le mythe de ce que nous appelions la « négritude sereine ». Il tient d'autre part à souligner l'impossibilité de choisir dans laquelle se trouve l'individu qui participe de deux cultures. Impossibilité, non parce que l'attrait de l'Occident se trouverait en balance avec la hantise d'être infidèle aux siens, mais bien parce que l'individu est double et ne se reconnaît plus.

Mais le drame de l'individu africain ne se situe pas seulement dans des perspectives historiques ou sociologiques. L'angoisse d'être nègre peut parfois céder le pas à l'angoisse d'appartenir à la condition humaine. C'est ce qu'ont voulu marquer sur des modes tout à fait différents trois romanciers : Cheikh Hamidou Kane, avec *L'aventure ambiguë* (œuvre à propos de laquelle nous avons seulement retenu le problème du conflit des valeurs culturelles), Camara Laye avec *Le regard du roi* et Olympe Bhêly-Quénum avec *Un piège sans fin*. Bien qu'il y tienne une place importante, le drame de l'acculturation ne constitue pas l'essentiel de *L'aventure ambiguë*. La solitude de Samba Diallo est, avant tout, celle d'un mystique en quête de Dieu et ce n'est qu'incidemment que l'auteur aborde le problème de l'opposition des cultures blanche et noire. Mme J.-L. Goré a exposé avec émotion, dans sa conférence prononcée à Dakar en 1963, *Le thème de la solitude dans l'Aventure ambiguë de Cheikh Hamidou Kane*[1], « l'aventure » spirituelle de Samba Diallo et nous évoquerons ici l'essentiel de son analyse.

La présence de la mort est pour Samba Diallo le premier aspect de la solitude. Mais comme le souligne Mme J.-L. Goré, ce sens de la mort n'est pas lié entièrement à sa condition de musulman, encore moins à sa condition d'Africain. « Le sens de la mort, écrit-elle, est pour Hamidou Kane solitude primitive de tout homme antérieurement à

---

[1]. *Actes du colloque sur la littérature africaine d'expression française de 1963*, p. 177-199.

une quelconque différenciation raciale : à ce titre l'attitude de Kane a une valeur plus universelle. Ainsi la solitude de Samba Diallo, solitude fondamentale, n'est pas celle de l'opprimé : elle est celle de tout homme, prince ou esclave, et c'est une esquisse nouvelle du pèlerinage spirituel que sans vain exotisme et en dehors de tout propos immédiatement temporel ou politique l'auteur de *L'aventure ambiguë* offre à notre étude dans le [contexte africain et musulman »[1]. La solitude de Samba Diallo d'autre part est indissolublement liée à l'idée que le héros se fait de Dieu. Non seulement celle-ci écarte Samba Diallo de ses frères, mais elle exige son anéantissement : « L'adoration de Dieu n'est compatible avec aucune exaltation de l'homme. » Toutes les difficultés ultérieures procèdent de cette façon de voir et Mme J.-L. Goré écrit : « Le but de l'existence ainsi envisagé n'est pas une croisade mais un témoignage : non point un humanisme qui épanouirait la créature, mais un théocentrisme axé sur le concept d'Unité Divine dans le respect de l'ascétique traditionnelle : pauvreté, humilité, douleur, attention portée à la seule parole »[2]. A Paris, « en détresse de n'être pas deux », également en rupture avec l'Occident et avec les siens, Samba Diallo découvre à sa solitude une dimension jusque-là inconnue de lui : « Il ne « sent » plus la présence divine »[3]. Mme J.-L. Goré poursuit : « L'élu de jadis s'éprouve libre et seul : il est « insensé de vitupérer Dieu en raison de notre misère ». En dernière analyse, accablé de la « fatigue » européenne, mais ne pouvant tirer argument de sa souffrance comme d'un don divin à l'inverse de Pascal, Samba Diallo va vider jusqu'à la lie la coupe de l'isolement essentiel et ambigu, également séparé de son peuple et de l'Occident, de l'histoire qui lui paraît dépourvue de signification ultime et de l'éternité qui le fuit. Ainsi s'anéantissent les antagonismes symboliques du monde noir et du monde blanc, de l'Orient et de l'Occident : ce n'est point aux ténèbres qu'Orphée ravira le secret qui intéresse sa vie, mais les blanches filles du soleil ne le guideront point non plus vers la vraie lumière, abandonnant les demeures de la nuit... »[4]. Ainsi, le drame du mystique dans le monde essayant vainement de concilier la mystique et l'orthodoxie ne peut s'achever que par la mort du héros, dernière tentative, peut-être tout aussi incertaine, de libération de l'individu.

Le regard du roi décrit également à sa manière, mais sur un mode essentiellement poétique, la démarche mystique d'un individu. En choisissant comme héros un Blanc qui, lassé de l'Europe, s'enfonce au cœur de l'Afrique, à la recherche d'une vérité qui le sauvera, Camara Laye a suscité de nombreux commentaires. On a d'abord retenu le

---

1. *Actes du colloque sur la littérature africaine d'expression française*, p. 180.
2. *Ibid.*, 1963, p. 181.
3. *Ibid.*, p. 185.
4. *Ibid.*, p. 185.

thème de ce que Mme Battestini appelle « l'Africate » et l'opposition des valeurs africaines et occidentales. Clarence en effet repoussé par les Blancs décide de vivre au milieu des Africains et se fixe à Aziana. Il lui semble alors que le mode de connaissance de l'Africain, participation intime du sujet et de l'objet, l'intuition des êtres et des choses de l'intérieur, sont infiniment supérieurs au rationalisme occidental et l'on serait tenté de voir dans le roman de Camara Laye une célébration de la négritude, au détriment de la pensée européenne, incapable de sauver le héros. En fait, le problème posé par *Le regard du roi* est beaucoup plus complexe et il ne faut pas attacher trop d'importance au cadre extérieur et oublier qu'il s'agit avant tout dans ce livre de l'aventure d'un homme. Clarence est déjà « sauvé » à partir du moment où il a décidé de fuir le destin qui lui était assigné à Adramé. L'ascèse qu'il s'impose d'abord au cours de son voyage, puis à Aziana, n'a pas de valeur privilégiée parce qu'elle est africaine mais parce qu'elle est pour lui le moyen de renoncer au monde familier dans lequel il a autrefois vécu. Il est d'ailleurs significatif que Clarence soit le seul « mystique » d'Aziana. Ainsi apparaît l'un des thèmes majeurs du roman : le salut de l'individu ne vient pas, pour lui, de ce qu'il reçoit mais du désir qu'il a de se dépouiller. Dans son cas particulier son vœu le plus ardent est « de détruire l'Européen qu'il sent agoniser en lui avec des sursauts de plus en plus brefs »[1], puisque l'Européen est pour lui le symbole du passé. Nous retrouvons alors sous une autre forme la vieille « folie de la croix » vers laquelle s'efforçaient de tendre les anciens mystiques.

Aussi doit-on, dans cette perspective, donner un sens particulier à l'inquiétude du héros. Le doute qui l'assaille et l'obsession d'être impur ne sont pas seulement la survivance « d'un christianisme mal enfoui », selon les propres termes de Mme Battestini, mais plus généralement une résistance de la pensée à ce qui paraît folie. L'orgueil reste pour Clarence le péché par excellence. Mais justement parce qu'il a su garder une foi intacte, malgré une ascèse imparfaite, Clarence est sauvé et le roi jette enfin son « regard » sur lui. Pour Clarence comme pour Camara Laye, seule la croyance en un monde spirituel dont le nôtre, ici bas, n'est qu'un reflet peut éloigner de l'homme le désespoir.

L'univers de Samba Diallo et de Clarence en impliquant une transcendance restait chargé d'espoir. Au contraire, l'atmosphère qui règne dans *Un piège sans fin* ne laisse à l'individu aucune chance de salut. Le héros d'Olympe Bhêly-Quénum découvre progressivement le règne du mal et l'absurdité du monde. Le début du livre est idyllique. Certes, Ahouna sait que la vie est quelquefois cruelle surtout dans un pays colonisé. N'a-t-il pas assisté tout jeune au suicide de son père Bakary

---

[1]. Mme BATTESTINI, *L'angoisse chez les romanciers africains* (*Actes du colloque sur la littérature africaine d'expression française*, 1963).

refusant d'exécuter un ordre de l'autorité locale ? Du moins, les jours heureux que lui et les siens connaissent aujourd'hui sont la preuve que les méchants sont les seuls vrais obstacles au bonheur et qu'on peut les éviter. L'amour sans tourments qui lie Ahouna à Anatou ne fait que confirmer cette idée dans l'esprit de tous. A ce premier stade, la négritude constitue un refuge efficace. Mais le bonheur des deux époux ne dure pas. Anatou victime d'une jalousie morbide s'imagine que son mari la trompe avec une jeune fille qu'elle aperçoit fréquemment en rêve. Le malheur dont souffre Ahouna n'est pourtant pas encore une malédiction des dieux : la maladie de la jeune femme peut s'expliquer par son éducation ou simplement être une machination. Tenté de tuer Anatou, Ahouna décide de s'enfuir, mais même s'il avait eu lieu, le crime serait resté dans des proportions humaines. C'est alors que le drame devient tragédie où les dieux vont jouer leur rôle et s'acharner à la perte d'Ahouna. Ce dernier, sans trop savoir pourquoi, tue une jeune fille qui venait de s'offrir à lui. Dès lors il doit fuir, supportant ainsi la conséquence d'un acte qu'il n'a pas vraiment voulu. Il se rend à l'évidence : les dieux lui sont hostiles. Mais il reste les hommes qui peuvent peut-être unir leurs forces contre ceux qui, en les créant, leur ont déclaré la guerre. Un espoir subsiste donc encore pour Ahouna. Arrêté et jeté en prison, ce dernier se rend vite compte qu'il n'a rien à attendre non plus de ses semblables. Boullin avait vu juste lorsqu'il disait : « La ville d'ordinaire indifférente, pressée deviendra soudain un monde de badauds qui s'abattra sur toi, telle une colonie de mouches vertes sur un morceau de viande »[1]. La nature elle-même et la création tout entière se lient contre Ahouna et ses compagnons de prison lorsqu'ils travaillent aux terribles carrières sous la garde du cruel Hounnoukpo. Boullin meurt écrasé sous un pan de roche et son corps est immédiatement attaqué par les mouches. Favidé connaît un sort semblable. Koffi reçoit dans l'œil un éclat de silex. Au retour des carrières, les prisonniers doivent subir les morsures des « plantes carnivores ». A l'arrière-plan, les vautours guettent le sang des malheureux. Le monde désormais n'a plus aucun sens et semble à Ahouna « un énorme piège tendu à l'homme par Allah ». Le héros n'a dès lors qu'à s'anéantir dans l'indifférence de la folie puisque l'existence humaine lui apparaît comme une absurdité dès qu'il en prend conscience. Comment d'ailleurs pourrait-il lutter contre le mal quand celui-ci se confond avec le non-être ?

Dans ces trois œuvres, Cheikh Hamidou Kane, Camara Laye, O. B. Quénum ont voulu, chacun à sa manière, rendre compte de l'angoisse qui déchire l'individu. Oubliant les circonstances historiques ou politiques qui leur paraissent accidentelles, ils n'ont cherché à

---

1. *Un piège sans fin*, p. 211.

retenir de l'individu que son appartenance à la condition humaine et tous trois se sont efforcés d'évoquer l'inquiétude de l'homme et son éternelle nostalgie de l'unité qui semblent depuis toujours s'attacher à son destin.

*
* *

Tel est le tableau souvent tragique que le roman africain nous trace de l'individu dans le milieu traditionnel et dans le monde actuel marqué par les conflits culturels. La diversité des types dépeints a déjà fait entrevoir nombre de problèmes auxquels se heurte le romancier africain d'expression française, tant sur le plan de la technique romanesque que dans le domaine des idées et qu'il nous faut maintenant étudier de façon systématique.

Chapitre III

LE ROMANCIER ET SES PROBLÈMES

L'étude de l'individu et de la collectivité nous a permis d'entrevoir quelques-uns des problèmes qui se posent au romancier africain d'expression française et que nous allons maintenant étudier ensemble. Ces problèmes sont de deux sortes : les uns relèvent de la seule technique romanesque, les autres de la situation particulière de l'écrivain africain dans le monde actuel.

I. — Problèmes techniques.

A. *Intérêt d'un classement des romans.*

Examinons les principaux problèmes techniques auxquels se heurtent les romanciers ainsi que les moyens employés par eux pour peindre la collectivité et l'individu.

Le choix du roman comme moyen d'expression appelle déjà certaines remarques. Distancé jusqu'en 1947 par la poésie malgré de notables exceptions : *Force – Bonté* de Bakary Diallo en 1926, *Karim* en 1935, *Mirages de Paris* en 1937, *Doguicimi* en 1938, le roman est devenu aujourd'hui l'égal de la poésie. Il a, comme elle, conquis ses lettres de noblesse et apparaît comme le genre littéraire le plus apte à exprimer des situations concrètes en relation avec les bouleversements que connaît aujourd'hui l'Afrique. Il est donc naturel qu'un auteur débutant hésite actuellement entre les prestiges du roman et ceux de la poésie — ce qui n'était guère possible avant la guerre.

Cependant, alors que la poésie africaine d'expression française ayant su se créer un style propre n'a guère de rapports avec la poésie française, le roman est resté souvent très proche de modèles français. Aussi n'est-il pas inutile d'essayer tout d'abord de classer, par genre, les œuvres des romanciers africains. Bien que comportant une certaine part d'arbitraire, la tentative donnera pourtant une première idée des moyens mis en œuvre par les écrivains. Les analyses les plus intéressantes sur ce point sont celles de M. Mercier[1] et de M. Pageard[2]. Les classements de ces derniers laissent apparaître l'importance — au moins formelle — des modèles européens mais la schématisation peut sembler excessive. On peut ainsi se demander pourquoi M. Pageard isole l'œuvre de F. Oyono et de Mongo Béti. D'autre part cette approche de l'extérieur ne nous indique rien sur les problèmes caractéristiques du roman africain et qui ne semblent guère exister dans les autres littératures. C'est précisément ce dont s'est préoccupé M. Victor P. Bol dans sa communication, *Les formes du roman africain,* au colloque de Dakar, en 1963. M. Victor P. Bol nous invite en effet à classer les œuvres romanesques non d'après leur forme ou leur genre mais d'après l'attitude du romancier devant son œuvre. Il distingue ainsi trois grandes catégories de romans : d'abord des romans dont les sources autobiographiques sont évidentes et qui reposent sur une structure antithétique, maintenant bien connue de nous : la vie difficile de l'homme opposé au bonheur de l'enfant. A l'appui de sa thèse M. Victor

1. *La littérature d'expression française en Afrique noire. Préliminaires d'une analyse* (Actes du colloque de 1963, Dakar, 1965).
2. Voici à titre d'exemple le classement proposé par M. Pageard dans *Littérature négro-africaine :* ce dernier, mettant à part les ouvrages à caractère historique, les range sous le titre suivant : « La tradition orale et l'ethno-histoire. Recherches et essais romanesques » qui comprend : Paul HAZOUMÉ, *Doguicimi* (1938) ; Jean MALONGA, *La légende de M'Pfoumou Ma Mazono* (1954) ; Nazi BONI, *Crépuscule des temps anciens (chronique du Bwanu)* (1962) ; Djibril Tamsir NIANE, *Soundjata ou l'épopée mandingue* (1960).
Abordant ensuite le roman proprement dit M. Pageard distingue :
1° « Le roman à tendance autobiographique » : Camara LAYE, *L'enfant noir* (1953); Bernard DADIÉ, *Climbié* (1956); Mamadou GOLOGO, *Le rescapé de l'Éthylos*.
2° « Des mémoires exemplaires » : Jean IKELLÉ-MATIBA, *Cette Afrique-là* (1963).
3° « Le roman de mœurs modernes » : Ousmane SOCÉ, *Karim* (1935) ; Abdoulaye SADJI, *Nini* (1947) et *Maïmouna* (1958).
4° « Le roman social et réformateur » : David ANANOU, *Le fils du fétiche* (1955) ; Benjamin MATIP, *Afrique, nous t'ignorons* (1956) ; Joseph OWONO, *Tante Bella, roman d'aujourd'hui et de demain* (1959) ; Seydou BADIAN KOUYATÉ, *Sous l'orage* (1963).
5° « Ousmane Sembène : un romancier militant » : *Le docker noir* (1956) ; *O pays, mon beau peuple !* (1959) ; *Les bouts de bois de Dieu* (1960) ; *L'Harmattan* (1964).
6° « Le roman satirique : Ferdinand Oyono ».
7° « Un roman psychologique » : Olympe BHÊLY-QUÉNUM, *Un piège sans fin* (1960).
8° « Mongo Béti ».
9° « Le roman philosophique » : Camara LAYE, *Le regard du roi* (1954) ; Cheikh Hamidou KANE, *L'aventure ambiguë* (1961).
A ces différentes catégories, M. Pageard ajoute les conteurs comme Birago Diop et les auteurs de nouvelles. Puis, après avoir examiné, dans un chapitre intitulé : « La littérature de voyage. L'Europe exotique », *Mirages de Paris* d'Ousmane SOCÉ (1937), *Un nègre à Paris* de Bernard DADIÉ (1959) et *Kocoumbo, l'étudiant noir* d'Aké LOBA (1960), il termine par ce qu'il appelle « la littérature en liberté » illustrée essentiellement par trois œuvres à part : *Le soleil noir point* de Charles NOKAN (1962), *La savane rouge,* de Fily-Daby SISSOKO (1962) et *Grandes eaux noires* de Ibrahim ISSA (1959).

P. Bol cite entre autres *Le pauvre Christ de Bomba, Climbié, Afrique, nous t'ignorons* et les romans d'Oyono. Il leur reconnaît des qualités certaines, souligne que le drame de l'acculturation est généralement bien vu mais ajoute les réserves suivantes : « Ce drame fondamental, les romanciers dont nous parlons ne l'explicitent pas et ne le mettent pas en forme, comme si eux-mêmes étaient restés engagés dans leur émotion, ne surmontaient pas leur situation. L'inconsistance de structure de leurs romans me semble le reflet exact de la difficulté d'être de leurs auteurs, de leur difficulté à l'évaluer eux-mêmes et à évaluer le monde »[1]. A ce premier type de romans, M. Victor P. Bol oppose une autre catégorie d'œuvres parmi lesquelles il cite *L'enfant noir, Le regard du roi, L'aventure ambiguë, O pays, mon beau peuple!* et *Les bouts de bois de Dieu*. La perspective est cette fois toute autre car le romancier a su maîtriser sa création et le critique conclut : « Avec cette série de romans, nous sommes vraiment mis en présence d'un univers qui se possède, qui se réfléchit : c'est celui de l'Africain moderne, maître de soi et de sa condition, se déterminant librement à partir de ses propres ressources et possibilités, affrontant le monde avec lucidité »[2]. M. Victor P. Bol évoque enfin un dernier type d'œuvres : les romans «historiques», comme *Doguicimi* et *La légende de M'Pfoumou Ma Mazono* ainsi que les contes. Ces œuvres par la maîtrise dont font preuve leurs auteurs se rapprochent, selon lui, des romans de la deuxième catégorie. Ainsi apparaît nettement l'intérêt de ce double classement des œuvres romanesques. L'un nous permet en effet de nous faire une première idée des genres, l'autre, par les critères qu'il propose, nous introduit au cœur du problème : la réussite d'un romancier semble beaucoup moins liée à la maîtrise ou à l'absence de maîtrise formelle qu'à la manière dont il a su résoudre ses propres difficultés et se situer par rapport aux autres. C'est ce que nous ne devons pas perdre de vue tout au long de cette étude.

B. *La description de la collectivité.*

Après avoir rappelé le cadre général dans lequel le romancier s'exprime, examinons la manière dont il décrit la collectivité. Nous nous attacherons d'abord aux *collectivités du passé*. On peut distinguer chez les écrivains deux manières de procéder pour évoquer celles-ci.

Les uns, comme Paul Hazoumé avec *Doguicimi* et Nazi Boni avec *Crépuscule des temps anciens*, ont surtout cherché à faire une œuvre historique selon les normes européennes, en proposant à travers une fiction romanesque, une vision objective de la société qu'ils décrivaient. *Doguicimi* nécessita vingt-cinq années de recherches et constitue sans

1. *Actes du colloque...*, p. 134-135.
2. *Ibid.*, p. 137.

aucun doute un document de très grande valeur sur le Dahomey au début du XIXe siècle. Paul Hazoumé ne s'est pas contenté de tracer des tableaux pittoresques et colorés de la vie nationale et des cérémonies de la cour (visite d'ambassadeurs étrangers, lever du roi, etc...), il s'est efforcé aussi de pénétrer l'esprit de cette époque et nous donne notamment des indications précieuses sur le sens des exécutions capitales, l'organisation d'un royaume théocratique. *Crépuscule des temps anciens* (1962) rappelle par sa forme et son dessein général *Doguicimi*. On y retrouve la même précision dans les détails et le même art de faire revivre sous nos yeux une multitude de personnages. Pour retracer la période de la conquête du Bwamu par les Européens, l'auteur a puisé aux meilleures sources de l'histoire coloniale et a, en particulier, dépouillé les archives militaires. Dans son « avant-propos », Nazi Boni expose sa méthode en ces termes : « Pour faire connaître un peuple d'Afrique noire, hormis la technique de la pure recherche scientifique, la meilleure méthode consiste à le vivre, à le regarder vivre, à collecter ses vieilles traditions auprès de leurs conservateurs, les « anciens » dont les derniers survivants sont en voie d'extinction, et à transcrire le tout sans rien farder. Tel a été mon rôle dans l'élaboration de cet ouvrage qui n'est ni un code coutumier, ni un formulaire de recettes incantatoires, mais l'expression de la vie paysanne, religieuse, guerrière et sentimentale d'un peuple en action à une époque antérieure à la colonisation.

» Il ne s'agit donc pas d'une étude rationnelle corsée de subtilités technologiques, mais de la projection objective de la période d'environ trois siècles qui s'étale de l'apogée à la chute du Bwamu, et empiète de quelques années sur les temps de l'épopée coloniale.

» D'aucuns seront tentés de me reprocher de n'avoir pas estompé certaines réalités d'apparence primitive. Cette attitude procéderait d'un complexe. Je répugne au vide du clinquant. J'ai voulu, intentionnellement, que l'originalité de *Crépuscule des temps anciens* résidât, au moins en partie, dans sa sincérité pour ne pas dire son pragmatisme »[1]. On notera dans ce passage le souci d'objectivité historique et le désir de traiter le sujet sans aucune complaisance particulière. Le style de Nazi Boni appelle quelques remarques. L'auteur a cherché à tirer tout le parti possible de termes africains qui contribuent à créer la « couleur locale » du récit et on ne peut que l'en féliciter. Malheureusement, beaucoup d'expressions, empruntées à l'argot ou vulgaires, nuisent à l'atmosphère du livre. M. Pageard[2] en a relevé quelques-unes : « j'en ai marre » (p. 68), « ils encaissent mal la vacherie » (p. 128), « la pauvre Hagni'nlé toute baba prenait en particulier une impitoyable

---

1. *Crépuscule des temps anciens*, p. 18-19.
2. *Littérature négro-africaine*, p. 58.

raclée » (p. 143) ; M. Pageard signale encore plusieurs anachronismes de langage fâcheux : « radio-brousse » (p. 71), « ce cœur d'artichaut » (p. 135), « ordre du jour » (p. 161), « exposé des motifs » (p. 161) ; une tendance à la préciosité qui se marque par des jeux de mots : « à la bonne chère associer les belles chairs » (p. 71) ou par un goût très net pour l'inversion du sujet et les mots rares : « aréner » (p. 173), « vermiller » (p. 108), « spumeux » (p. 77), etc. Ces défauts ne se trouvaient pas dans *Doguicimi* qui reste pour l'instant le modèle du roman historique d'expression française.

D'autres écrivains ont évoqué différemment les collectivités du passé. Au lieu de composer des romans historiques — genre d'origine européenne —, ils ont transcrit intégralement certaines périodes de l'histoire de leur pays, sans faire intervenir les critères modernes de l'objectivité, exactement comme la tradition les leur avait transmises. Parmi ceux-ci, on peut ranger d'abord les conteurs, comme Birago Diop, qui a recueilli le savoir du vieil Amadou Koumba, dans ses *Contes d'Amadou Koumba*, ses *Nouveaux contes d'Amadou Koumba* et ses *Contes et lavanes*, Bernard Dadié auteur de deux recueils : *Légendes africaines* et *Le pagne noir* et Ousmane Socé qui écrivit les *Contes et légendes d'Afrique noire*. A ces derniers s'ajoutent Joseph Brahim Séid avec *Au Tchad sous les étoiles* et Benjamin Matip avec *A la belle étoile*. L'œuvre de Birago Diop domine largement les autres et occupe une place exceptionnelle. Elle est non seulement un document unique sur le folklore et la culture traditionnels, mais elle nous donne également une idée très vraie de la littérature ancienne de l'Afrique dont elle épouse fidèlement la forme et les rythmes oraux. Comme l'écrit L. S. Senghor dans son essai, *D'Amadou Koumba à Birago Diop* : « Que ce soit dans les fables ou dans les contes, Amadou – Koumba – Birago – Diop ne fait que traduire, à travers la loi de l'interaction des forces vitales, la *dialectique* de la vie, qui est celle de l'univers. A l'anarchie et à la mort s'oppose l'ordre de la vie ; ce sont les vivants, les existants qui, placés au centre du monde, sont les protagonistes de cette vaste « Comédie humaine ». Ils sont doués de *liberté*. Tantôt, ils s'élèvent contre la stupidité et l'injustice des Grands, tantôt ils s'y soumettent ou s'en font les complices par lâcheté. Mais la *Paix*, si chère aux cœurs négro-africains, c'est-à-dire l'ordre, finit toujours par triompher. La paix, par l'effet de ces vertus typiquement nègres que sont la piété, le bon sens, la loyauté, la générosité, la patience, le courage »[1].

C'est au fond les mêmes qualités qu'on retrouve dans deux ouvrages plus proprement historiques, *La légende de M'Pfoumou Ma Mazono* de Jean Malonga et *Soundjata ou l'épopée mandingue* de Djibril Tamsir Niane, qui reproduisent dans leur totalité certaines données de la cul-

---

1. *Négritude et humanisme*, p. 247.

ture traditionnelle, sans qu'il soit possible d'y déceler le moindre apport littéraire extérieur. *La légende de M'Pfoumou*, publiée en 1954, entre tout à fait dans l'esprit de l'Afrique traditionnelle en insistant en particulier sur l'importance de la magie et des forces qui peuplent l'univers et qu'il faut savoir éviter ou même se concilier pour devenir un chef. Le livre décrit également la communauté idéale que fonde le héros après avoir triomphé des Bakongo qui vivaient de l'esclavage. L'histoire est ainsi traitée dans un contexte purement africain, où l'évolution du monde et des êtres est expliquée selon des références et un système de valeurs avec lequel le public est, depuis toujours, familiarisé.

Djibril Tamsir Niane va encore plus loin que Jean Malonga. Dans *Soundjata ou l'épopée mandingue* l'auteur dont on sentait encore la présence dans *La légende de M'Pfoumou* s'efface complètement et ne joue plus que le rôle d'un traducteur. Le contenu du livre qui retrace l'épopée de Soundjata importe moins en fin de compte que l'esprit dans lequel l'auteur l'a écrit. Ce dernier a expliqué clairement son intention dans son « avant-propos ». Il continue en français l'œuvre des griots dont il définit ainsi le rôle qu'ils jouaient dans l'ancienne société : « Si aujourd'hui, le griot est réduit à tirer parti de son art musical ou même à travailler de ses mains pour vivre, il n'en a pas toujours été ainsi dans l'Afrique antique. Autrefois les griots étaient les Conseillers des rois, ils détenaient les Constitutions des royaumes par le seul travail de la mémoire ; chaque famille princière avait son griot préposé à la conservation de la tradition ; c'est parmi les griots que les rois choisissaient les précepteurs de leurs jeunes princes. Dans la société africaine bien hiérarchisée d'avant la colonisation, où chacun trouvait sa place, le griot nous apparaît comme l'un des membres les plus importants de cette société car c'est lui qui, à défaut d'archives, détenait les coutumes, les traditions et les principes de gouvernement des rois. Les bouleversements sociaux dus à la conquête font qu'aujourd'hui les griots doivent vivre autrement : aussi tirent-ils profit de ce qui jusque-là avait été leur fief, l'art de la parole et la musique »[1]. D. T. Niane s'attaque également au mythe de la supériorité des sources écrites : « L'Occident nous a malheureusement appris à mépriser les sources orales en matière d'histoire ; tout ce qui n'est pas écrit noir sur blanc étant considéré comme sans fondement. Aussi, même parmi les intellectuels africains il s'en trouve d'assez bornés pour regarder avec dédain les documents « parlants » que sont les griots et pour croire que nous ne savons rien ou presque rien de notre passé, faute de documents écrits. Ceux-là prouvent tout simplement qu'ils ne connaissent leur propre pays que d'après les Blancs »[2].

---

1. *Soundjata ou l'épopée mandingue*, p. 7-8.
2. *Ibid*, p. 8.

Abordant enfin son propre cas, l'auteur en arrive au difficile problème de la vérité et les conclusions qu'il dégage impliquent une conception très originale du roman africain, du plus haut intérêt : « Le griot qui détient la chaire d'histoire dans un village qu'on appelle Belën-Tigui est un monsieur très respectable qui a fait son tour du Mandingue. Il est allé de village en village pour écouter l'enseignement des grands maîtres ; pendant de longues années, il a appris l'art oratoire de l'histoire ; de plus il est assermenté et n'enseigne que ce que sa « corporation » exige car, disent les griots : « Toute science véritable doit être un secret. » Aussi le traditionaliste est-il maître dans l'art des périphrases, il parle avec des formules archaïques ou bien transpose les faits en légendes amusantes pour le public, mais qui ont un sens secret dont le vulgaire ne se doute guère.

» Mes yeux viennent à peine de s'ouvrir à ces mystères de l'Afrique éternelle et dans ma soif de savoir, j'ai dû plus d'une fois sacrifier ma petite prétention d'intellectuel en veston devant les silences des traditions quand mes questions par trop impertinentes voulaient lever un mystère.

» Ce livre est donc le fruit d'un premier contact avec les plus authentiques traditionalistes du Mandingue. Je ne suis qu'un traducteur, je dois tout aux maîtres de Fadama, de Djéliba Koro et de Keyla et plus particulièrement à Djéli Mamadou Kouyaté, du village de Djéliba Koro (Siguiri), en Guinée.

» Puisse ce livre ouvrir les yeux à plus d'un Africain, l'inciter à venir s'asseoir humblement près des anciens et écouter les paroles des griots qui enseignent la sagesse et l'histoire »[1].

En réunissant dans son œuvre, à la manière des anciens artistes, l'épopée, le conte, le mythe et l'apologue, D. T. Niane nous fait ainsi pénétrer dans l'univers culturel traditionnel de toute une région de l'Afrique noire. *Soundjata* constitue à juste titre l'une des tentatives romanesques les plus intéressantes et les plus neuves de l'après-guerre pour dépeindre la réalité africaine.

Cependant, les œuvres consacrées à la description des collectivités du passé restent rares ; au contraire, *la collectivité traditionnelle telle qu'elle subsiste de nos jours* est évoquée dans la plupart des œuvres. Mais, tandis que de nombreux écrivains, comme le prouve leur biographie, ont une expérience directe de la vie traditionnelle, la façon dont celle-ci est envisagée varie considérablement d'un livre à l'autre aussi bien sur le plan stylistique que sur le plan de l'exactitude et de l'authenticité. Si l'on considère l'ensemble de la production romanesque, on distingue chez les auteurs deux manières très différentes de présenter la réalité qu'ils se proposent de décrire. Les uns — c'est le

---

1. *Soundjata ou l'épopée mandingue*, p. 9.

cas le plus fréquent — peignent le milieu traditionnel à travers l'évocation de l'enfance du personnage principal ou du narrateur. Les romans de ce genre nous apportent de nombreux renseignements sur la vie traditionnelle, que nous avons d'ailleurs relevés dans le chapitre I, mais la vision subjective des faits limite l'objectivité de la peinture. D'autant plus que le dessein véritable du romancier n'est pas de décrire la société traditionnelle pour l'intérêt qu'elle peut présenter à titre documentaire mais surtout d'opposer en une structure antithétique l'enfance, toujours heureuse, du héros aux difficultés présentes que ce dernier connaît, une fois qu'il est transplanté dans le monde moderne. Ainsi, tandis que les détails sont exacts et contribuent efficacement à créer une atmosphère « vraie », la perspective générale se trouve faussée. C'est ce qu'on peut reprocher à la manière dont est présenté le milieu traditionnel dans des romans comme *Climbié*, *Les dernières paroles de Koimé*, *Le fils du fétiche*, *Afrique, nous t'ignorons*, pour ne citer que quelques exemples.

Les autres romanciers, en très petit nombre, il est vrai, adoptent une façon de voir radicalement différente. Chez eux la peinture de la collectivité traditionnelle ne joue plus le rôle de premier terme de l'antithèse, comme nous le signalions tout à l'heure, mais constitue le sujet même du roman. Trois œuvres entrent dans cette deuxième catégorie et ce n'est sans doute pas un hasard s'il s'agit de trois réussites incontestables : *L'enfant noir*, *Le regard du roi* et *Un piège sans fin*. Comme beaucoup d'autres romans, *L'enfant noir* raconte l'enfance et l'éducation d'un jeune Africain, mais l'idée directrice qui anime l'auteur est profondément originale. En consacrant son livre tout entier à l'évocation d'une enfance en milieu traditionnel, Camara Laye se montre désireux de montrer l'univers qu'il présente, en lui-même, sans aucune référence à quelque chose qui lui serait extérieur. Comme l'écrit M. Victor P. Bol, « ce n'est plus de l'attrait incoercible vers un monde étranger qu'il est question mais de la pénétration par étapes dans le monde nègre vécu, avec toute sa prégnance de l'initiation à l'univers tel qu'il *est* pour l'enfant et son entourage »[1]. Cette façon de voir entraîne un rapport particulier entre le romancier et son personnage et, à la différence des romans que nous évoquions tout à l'heure, une distanciation s'établit entre les deux. M. Victor P. Bol le constate également : « ... l'objectivation y est complète : cet enfant n'est plus l'auteur, il vit en dehors de lui, nous le voyons totalement, dans toutes ses dimensions et nous en pressentons la vie intérieure comme celle d'un être autonome ; le milieu dans lequel il vit existe dans une complexité vivante et une cohérence parfaitement suggérée »[2]. D'autre

---

1. *Les formes du roman africain* (*Actes du colloque de Dakar*, 1963, p. 135).
2. *Ibid*, p. 135.

part, alors que dans les autres œuvres, il était présenté comme une donnée brute, intemporelle et d'un seul tenant, le milieu traditionnel est, cette fois, perçu par le narrateur, non plus globalement, mais selon une progression qui, insérée dans la durée, lui permet d'en découvrir la complexité croissante. La structure du roman devient alors une structure dramatique rythmée par les découvertes successives de l'enfant. De plus, comme l'a souligné très nettement M. Th. Melone, dans sa communication au colloque de Dakar, en 1963, à ce déroulement dans le temps s'ajoute toute une série de « correspondances » entre le réel et l'invisible : « Il y a dans le roman, écrit-il, un premier mouvement temporel qui s'impose. Ce sont les différents âges de Camara, cet enfant qui passe sous nos yeux de l'insouciance à la peur de la mort, de la peur de la mort à l'angoisse du retour... Mais à côté de ce mouvement temporel et comme pour le transcender, le spiritualiser, le styliser, s'en esquisse un second surréel. L'or que taille le père de Camara, la prière qu'il récite, l'éloge chanté par le griot, la danse du forgeron, comme tout cela a collaboré à l'accomplissement du chef-d'œuvre ! Auguste cérémonial que la fabrication d'un bijou dans cette petite forge du Kouroussa ! Ce mouvement qui conduit au chef-d'œuvre, transcende, déchire les apparences, dépasse la réalité pour atteindre des univers, des significations : ' J'étais venu, s'exclame Camara, assister à une fête et c'en était très réellement une, mais qui avait des prolongements ' »[1]. Loin de n'être qu'un banal recueil de souvenirs d'enfance, *L'enfant noir* est au contraire une œuvre accomplie qui, grâce à sa perspective générale et sa structure dramatique, nous permet d'appréhender tous les aspects, visibles et invisibles, d'une collectivité traditionnelle.

On retrouve également les mêmes qualités, avec une technique peut-être plus élaborée, dans *Le regard du roi*, roman lui aussi entièrement consacré à la peinture du milieu traditionnel. Renonçant au schéma conventionnel du Noir désemparé devant le monde des Blancs, Camara Laye imagine la situation inverse et nous décrit l'angoisse d'un Européen désireux de pénétrer dans l'univers africain. La distance entre l'auteur et son personnage devient ainsi plus grande que dans *L'enfant noir* et l'objectivation du réel plus poussée. Le mouvement général du livre est calqué sur la démarche douloureuse de Clarence en quête de cette mystérieuse vérité qu'il a entrevue un jour. *L'enfant noir* progressait selon un rythme prévisible, à l'échelle humaine. Dans *Le regard du roi* on sent au contraire que le temps, malgré la longue attente de Clarence, importe peu et qu'à tout moment le héros *peut* réussir — la fin arbitraire le montre bien d'ailleurs. Seules comptent,

---

[1]. *Le thème de la négritude et ses problèmes littéraires. Point de vue d'un Africain* (Actes du colloque de Dakar, 1963, p. 114).

en définitive, la qualité d'âme et la ferveur de Clarence. Aussi la structure du roman est-elle plus spatiale — « labyrinthique », a-t-on dit fort justement — que proprement temporelle. Le livre est divisé en trois parties décroissantes qui portent chacune comme titre un nom de lieu : « Adramé » (cinq chapitres), « Aziana » (trois chapitres) et « le roi » (deux chapitres). Comme l'a montré M. Robert Pageard dans son étude *Littérature négro-africaine*, Adramé, capitale du Nord, incarne, la raison qui marque profondément les hommes et les institutions. C'est ainsi qu'il y règne une certaine liberté politique et qu'on y trouve une justice de type européen. Le personnage qui incarne le mieux l'homme du Nord est incontestablement le mendiant, sorte de sophiste sans scrupules bien plus préoccupé de tromper les gens comme Clarence que de rechercher des vérités philosophiques. Le roi, symbole de Dieu, paraît un jour à Adramé mais n'y reste pas : « Il n'a que faire, écrit M. Pageard, de la raison humaine et de l'utilitarisme »[1]. Le Sud au contraire est « le domaine de la nature libre. Les sens y sont maîtres »[2]. La raison du Nord n'a plus cours à Aziana : la justice y est cruelle et le pouvoir politique est exercé par une oligarchie tyrannique. Cependant, grâce à des personnages aussi divers que Diallo le forgeron, Dioki la sorcière, Noaga et Nagoa, Clarence se sent plus près de l'objet de sa quête et c'est justement à Aziana que le roi va venir le chercher. Pourtant l'itinéraire de Clarence n'est pas une marche rectiligne vers un pays qui incarnerait cette mystérieuse « vérité » dont il est question tout au long du livre. A tout moment, à Adramé comme à Aziana, Clarence *pouvait* rencontrer le roi et c'est ce dernier en fin de compte qui poursuit de sa grâce le héros. D'autre part, à l'angoisse produite par cette structure « labyrinthique » du roman, viennent s'ajouter les prestiges inquiétants d'un style caractérisé par un foisonnement d'images. Celles-ci placées constamment sur la route du héros apparaissent comme autant de signes qu'il ne peut pas ou ne veut pas déchiffrer parce qu'il est encore prisonnier de ses anciennes habitudes d'homme blanc. Ce bref dialogue entre le mendiant et Clarence donnera une idée de l'inquiétude perpétuelle éprouvée par le héros devant un monde dont il ne connaît pas la signification : « Le roi est jeune et il est fragile, dit le mendiant, mais il est en même temps très vieux et très robuste. S'il était moins chargé d'or, rien sans doute ne pourrait le retenir parmi nous.

» — Pourquoi vous quitterait-il ? dit Clarence.

» — Pourquoi ne nous quitterait-il pas ? dit le mendiant. L'imaginez-vous fait pour des êtres comme nous ? Mais le poids de tout cet or l'enchaîne.

1. *Littérature négro-africaine*, p. 83.
2. *Ibid.*, p. 84.

» — L'or..., dit amèrement Clarence.

» — L'or peut aussi être autre chose que l'or, dit le mendiant. Est-ce que l'or chez les hommes blancs, n'est jamais que l'or ?

» — Nous nous jetons avidement sur la moindre poussière d'or.

» — Oui, au début, quand vous êtes venus, vous avez cru que vous vous nourrissiez d'or. Mais l'or peut être aussi l'un des signes de l'amour, si l'amour atteint à sa pureté, c'est d'un or de cette sorte que le roi est prisonnier, c'est pourquoi ses bras sont si lourdement chargés »[1]. Plusieurs critiques ont décelé dans le livre de Camara Laye des influences européennes que l'auteur ne cherche d'ailleurs pas à nier. Il y a plus d'un point commun entre la quête de Clarence et l'itinéraire spirituel des héros de Kafka, d'Alain-Fournier, de Julien Green, de Dostoïevsky (dans *L'Idiot* notamment). La ressemblance pourtant s'arrête là. Cette coïncidence que nous observons vient surtout de ce que toute initiation suit un processus à peu près toujours identique, et qui se traduit sur le plan de la technique romanesque par l'importance accordée au thème de la marche et à la prédominance de l'image-signe qu'il faut savoir lire. On ne saurait donc tirer de ces coïncidences inhérentes au sujet choisi des conclusions sûres quant aux « sources » du roman[2].

Par ailleurs, d'autres aspects du style montrent bien l'originalité profonde de Camara Laye dans sa manière d'exprimer la réalité africaine traditionnelle. Le langage n'a pas la même fonction qu'en Europe où il joue le rôle d'un outil conceptuel reposant sur une convention universellement admise, permettant d'expliquer le monde sensible. Ici, au contraire, chacun parle son propre langage et c'est le nom qui est chargé de donner naissance à l'objet. L'épisode du forgeron est à cet égard très révélateur. Les haches qu'il fabrique pourraient n'avoir qu'une fin utilitaire, mais le forgeron en a décidé autrement. Bien qu'elles soient tout à fait identiques à celles dont se servent ses compatriotes pour cultiver leurs champs, elles deviennent par la seule volonté du verbe instrument du salut de l'artisan, réceptacle de la beauté. Comme le signale Janheinz Jahn : « par son efficace, la formule magique transforme la « chose » en quelque chose de tout différent : une image »[3]. Le forgeron d'ailleurs l'explique lui-même : « Mais qu'est-

---

1. *Le regard du roi*, p. 21-22
2. Camara Laye s'est expliqué là-dessus dans un article de *Dimanche matin* (Nouvelles des lettres, 2 janvier 1955) intitulé *Kafka et moi*. Il a été attiré surtout par la technique de Kafka, dans la mesure où celle-ci rendait compte de l'existence d'un monde invisible dont le nôtre ici-bas n'est qu'un reflet. Mais Camara Laye n'accepte pas du tout le pessimisme fondamental de l'auteur du *Procès* et du *Château* : « Mes personnages savent mieux que moi ce que sont cette angoisse, ces tourments, ce désespoir, mais il vient toujours un instant où ils atteignent le bonheur, et alors, ils l'atteignent pleinement, tandis que les personnages de Kafka, eux, ne l'atteignent qu'à demi ou pas du tout... »
3. *Muntu*, p. 178.

ce qu'une hache ? J'en ai forgé des milliers et celle-ci assurément sera la plus belle ; toutes les autres ne m'auront servi que d'expérience pour finalement réussir celle-ci, si bien que cette hache sera la somme de tout ce que j'ai appris, sera comme ma vie et l'effort de ma vie même »[1]. De même l'or peut revêtir les significations les plus diverses comme on a pu le voir dans le passage que nous citions tout à l'heure. Les dialogues qui occupent une grande place dans le livre continuent la tradition orale de la littérature traditionnelle. Clarence, le mendiant, Akissi, Dioki, le forgeron, etc. participent tous à d'interminables palabres qui semblent pour eux la forme d'expression par excellence où chaque interlocuteur poursuit une route parallèle qui ne rencontre jamais celle du voisin. C'est ainsi par exemple que Clarence, en demandant l'arrêt du supplice infligé au maître des cérémonies, blessera profondément chez les gens d'Aziana « leur sentiment de la justice ». Refusant de cracher sur le derrière fustigé du malheureux, le héros se voit vertement réprimandé par Noaga : « Vous êtes sans pitié, lui dit ce dernier ; vous prenez une gorgée et vous l'avalez ; vous l'avalez alors que le derrière du maître des cérémonies est brûlant, gonflé à éclater. Après cela, vous me reprochez de manquer de cœur ! »[2]. La satire, ce genre typiquement africain, ne perd pas non plus ses droits et le roman abonde en caricatures hautes en couleur et caractéristiques du milieu traditionnel : les deux jeunes gens, Noaga et Nagoa, qui ne pensent qu'à « farcer » — on nous pardonnera cet africanisme — le mendiant astucieux et égoïste comme tant de griots-philosophes, l'aubergiste, Dioki, la sorcière, Akissi, l'épouse, Clarence lui-même, pétri de préjugés blancs, étouffé par son bon sens étroit... *Le regard du roi* apparaît ainsi comme une œuvre exceptionnelle dans laquelle l'apport européen se limite à la langue. La structure générale du roman, le rôle joué par l'image et le nom, la logique scandaleuse — pour Clarence — qui y règne de la première page à la dernière en font un des documents les plus complets et les plus profonds qui puissent exister sur l'univers physique et mental qui caractérise le milieu traditionnel.

Un piège sans fin d'Olympe Bhêly-Quénum est également entièrement consacré à l'évocation d'un drame qui se passe dans la société traditionnelle. La technique employée par l'auteur pour présenter le « crime » et le « châtiment » du héros est complexe : dans les neuf premiers chapitres, le narrateur, M. Houénou, rapporte, telle quelle, la confession d'Ahouna qui lui explique comment il a été poussé à commettre ce crime absurde. Le chapitre x retrace les réflexions de M. Houénou et l'arrestation d'Ahouna, victime de la sagacité de l'inspecteur Vauquier. Dans les chapitre xi à xvii, M. Houénou reprend

---

1. *Le regard du roi*, p. 189.
2. *Ibid.*, p. 171.

son récit et nous décrit la vie atroce des prisonniers et l'assassinat d'Ahouna. A la différence de ce qui se passait dans *Le regard du roi*, le récit, qu'il soit à la première personne ou à la troisième, reste linéaire et court rapidement vers son but. Le style est très varié et chacun des personnages parle une langue qui lui est propre. Ainsi, Ahouna exprime toujours de façon concrète le tragique qui pèse sur lui : « Voilà, s'écrie-t-il en terminant sa confession, tout est fini. Vous savez maintenant qui j'étais, d'où je suis venu, comment je suis devenu un assassin, et les raisons de mon acte. Vous aviez recueilli un homme qui avait l'air d'un mendiant et vous lui avez donné à manger ; il vous en remercie infiniment. Mais à quoi me sert d'avoir bâfré comme je l'ai fait ?... Je me croyais mort et maintenant, je me sens mourir lentement. C'est chez vous que la véritable tragédie commence. L'avenir me donnera raison. Vous avez dit *qu'on* essayerait de me sauver, que vous prendriez un avocat pour moi. Un avocat ? Je n'en ai cure ! tout était bouclé depuis vingt ans, et je n'attendais plus que la débâcle »[1].
M. Houénou, amateur d'histoire et d'archéologie, réagit plutôt en humaniste et découvre, grâce à sa culture, de nouveaux liens avec ses compatriotes. Au contraire, Vauquier cherche surtout à se montrer efficace et à faire aboutir l'enquête. Toupilly n'a que des injures à la bouche pour parler des nègres qui, selon lui, n'appartiennent pas au genre humain. Quant à Mauthonier, il parle en libéral, mais cela ne l'empêche nullement de collaborer avec Toupilly. Cependant, cette diversité de personnages et de style n'est pas un éparpillement, car deux éléments importants assurent l'unité de ton. Il n'est guère de pages où ne soient évoqués certains détails qui contribuent à créer l'atmosphère — sereine ou étouffante — du milieu traditionnel. D'autre part, la répétition des mots « angoisse », « absurdes », de leurs dérivés et de leurs synonymes, constitue un leitmotiv qui nous rappelle sans cesse les perspectives tragiques dans lesquelles s'inscrit l'histoire que nous conte Olympe Bhêly-Quénum.

Les romanciers, comme on l'a vu déjà, sont davantage attirés par *la peinture du monde actuel* caractérisé par l'opposition des cultures européenne et africaine. La technique la plus employée consiste à présenter les bouleversements qui affectent l'Afrique d'aujourd'hui *à travers la vie d'un personnage-témoin*. Ce dernier peut raconter lui-même son existence. C'est le cas des œuvres suivantes : *Le débrouillard* de N. G. M. Faye, *Le rescapé de l'Éthylos* de Mamadou Gologo, *Cette Afrique-là* de Jean Ikellé-Matiba et *Dramouss*. Chacune de ces autobiographies évoque à sa manière le conflit culturel qu'a connu l'auteur et la génération dont il se fait le porte-parole. *Le débrouillard* oppose de façon très schématique la période africaine du narrateur à

---

1. *Un piège sans fin*, p. 147.

son expérience européenne. Le style très négligé reproduit telle quelle la langue parlée ou s'inspire des bandes dessinées. Le livre est pourtant original : en effet à la différence de la plupart des autres romanciers, N. G. M. Faye affirme sa préférence pour la civilisation occidentale ; d'autre part, *Le débrouillard*, en raison de la formation de l'auteur, constitue un document de tout premier ordre sur la personnalité et les aspirations d'un de ces milliers de jeunes Africains qui sont entrés en contact avec le monde moderne, tout seuls, sans la formation intellectuelle donnée par l'école et qui ont su se « débrouiller ».

Dans *Le rescapé de l'Éthylos*, qui retrace la vie du médecin Mamadou Gologo, l'opposition des deux cultures est moins nette et l'auteur, bien qu'il condamne la colonisation, s'attache surtout à montrer la modernisation progressive du milieu, qui doit trouver son achèvement dans l'indépendance. Mais sur le fond général se déroule le drame personnel de l'auteur, qui s'adonne depuis de longues années à l'alcoolisme et qui réussit à se guérir. Ainsi, dans cette autobiographie, le narrateur n'est plus seulement le symbole d'une génération passée brusquement du milieu traditionnel au monde moderne, mais un personnage fortement individualisé avec des problèmes particuliers. Une confession de ce genre est rare dans le roman africain.

Dramouss est la suite de *L'enfant noir* mais, au lieu de décrire le séjour de son héros en France, Camara Laye a sauté cette période et situe l'action de son roman en Guinée, au moment où le narrateur revient d'Europe. L'intérêt de cette technique est évident : elle évite d'abord à Camara Laye de rivaliser, dans la peinture de ce séjour parisien, avec *Mirages de Paris*, *L'aventure ambiguë* ou *Un nègre à Paris*. Elle a de plus le mérite de montrer que l'expérience occidentale fait désormais partie de la personnalité profonde du héros et de souligner qu'il est peut-être plus difficile à un Africain de se réadapter à son propre pays que de le quitter et de s'habituer à vivre dans un autre.

Cette Afrique-là est une autobiographie imaginée par un jeune écrivain qui, à travers l'histoire du narrateur, Franz Mômha, retrace toute celle du Cameroun depuis la conquête jusqu'à l'indépendance. Le procédé a été déjà utilisé mais il nous faut noter que l'élargissement est ici beaucoup plus systématique que dans les autres œuvres de ce genre. A chaque période de la vie du héros correspond une situation historique concernant tout le pays : la première enfance juste avant la colonisation ; l'école primaire et secondaire au moment où les Allemands s'installent et commencent à transformer le pays ; l'entrée de Franz dans l'administration quand le système mis en place apparaît comme une belle réussite ; la guerre au cours de laquelle l'attitude des Allemands laisse dans les cœurs beaucoup de déception ; la retraite de Franz au moment de l'arrivée des Français ; sa déportation lors du travail forcé ; ses espoirs en un monde meilleur après la deuxième guerre et le vote de la loi-cadre. En replaçant sans cesse la vie de son héros dans le contexte historique du moment, Jean Ikellé-Matiba a pu ainsi porter un jugement très objectif sur tous les problèmes rencontrés par les gens de la génération de Franz Mômha, le narrateur.

D'autres romanciers préfèrent au contraire *le récit à la troisième personne*, mais le personnage principal continue de jouer le même rôle que dans les autobiographies que nous venons d'évoquer : il reste le symbole d'une génération de transition. *Karim* en 1935 inaugure le genre. Dans ce roman O. Socé nous montrait les difficultés de son héros Karim employé de commerce à Saint-Louis, puis à Dakar. L'auteur prenait ses distances vis-à-vis de son personnage — pour lequel, par ailleurs, il ne cachait pas sa sympathie — et une grande impression de vérité et d'objectivité se détachait du livre. *Climbié* (1956), de Bernard Dadié, reprend un sujet semblable et le traite selon la même technique. On observe cependant quelques différences entre les deux œuvres : les difficultés de Climbié sont davantage liées au problème colonial et d'autre part le caractère autobiographique du roman est beaucoup plus accusé, l'auteur tendant à se confondre avec son personnage. *Les dernières paroles de Koimé* (1961) se rapproche de la formule employée par Dadié, dans *Climbié* mais le ton est moins désabusé. Au contraire, Abdoulaye Sadji avec *Nini* (1954) et *Maïmouna* (1958) renoue avec la tradition du roman de mœurs dans le style de *Karim*. Dans ces deux romans, l'auteur reste constamment distinct du personnage et du monde qu'il crée. Il s'agit de deux œuvres réalistes qui se contentent de décrire, sans aucune arrière-pensée moralisante ni didactisme excessif, un aspect de la situation actuelle de l'Afrique.

Dans d'autres romans, au contraire, l'auteur intervient de façon plus directe et en profite pour donner son point de vue sur certaines questions d'ordre social ou politique. Dans ces œuvres, le personnage-témoin est remplacé par *un groupe-témoin* mettant en pratique les idées que lui prête le créateur. *Afrique, nous t'ignorons, Le fils du fétiche, Tante Bella*, de Joseph Owono, *Sous l'orage, Vers de nouveaux horizons, Cœur d'aryenne* sont à ranger dans ce groupe. Deux thèmes principaux dominent : l'indépendance politique et l'élimination des coutumes ancestrales jugées incompatibles avec l'évolution actuelle. La technique employée dans ces œuvres appelle certaines remarques. *Afrique, nous t'ignorons*, début d'un roman inachevé, s'efforce de peindre des groupes en action plus que des individus. Le livre est fait de trois tableaux (« Alerte », « L'enfer » et « Les Patriarches ») qui nous présentent des situations globales selon un procédé qui rappelle E. Zola. *Le fils du fétiche, Sous l'orage* et *Vers de nouveaux horizons* restent davantage dans la tradition didactique mais on doit noter l'importance que tient dans ces trois romans la poésie considérée par les auteurs comme le meilleur moyen d'exprimer l'idéal des personnages. *Cœur d'aryenne* se caractérise essentiellement par le ton épique qu'emploie J. Malonga tant pour décrire les actions de ses héros que pour les commenter. Malgré la grandiloquence et le pathos qui en résultent, il y a là une tentative intéressante pour éviter le didactisme et la platitude. *Tante Bella, roman d'aujourd'hui et de demain,* qui lutte pour l'amélioration de la situation de la femme africaine, repose sur une technique savante. Un prologue nous met en contact avec les classes moyennes de la bourgeoisie africaine de Yaoundé et l'un des assistants, au cours d'une réunion, lit le roman intitulé *Tante Bella.*

Le dialogue constitue également une autre forme spontanée d'expression, au même titre que le récit à la première personne et le récit à la troisième personne. D'une façon générale, le dialogue sert moins à faire progresser l'action dramatique ou à approfondir le « moi » des personnages qu'à donner une vision globale de l'univers physique et moral de celui qui parle, et qui fait encore fonction de personnage-témoin. C'est de cette manière qu'il faut envisager les dialogues qui s'engagent souvent entre les membres de la collectivité traditionnelle et le voyageur ou le lycéen après leur retour au pays. Ainsi, Charles et Jules, dans *Vers de nouveaux horizons*, et Jean-Marie Medza se voient harcelés de questions de toute sorte concernant le monde fabuleux d'où ils viennent et dont ils se plaisent d'ailleurs à parler. Dans d'autres cas, le dialogue permet au romancier d'exprimer l'incompréhension fondamentale qui caractérise, dans les romans situés à l'époque coloniale, les rapports entre Africains et Européens.

Ainsi, Benjamin Matip dans *Afrique, nous t'ignorons*, B. Dadié dans *Climbié*, F. Oyono, dans l'ensemble de son œuvre, nous montrent, grâce à des « conversations » parfois menaçantes, la nature exacte des liens qui existent entre le monde blanc et le monde noir et la manière dont est considéré d'une façon générale le colonisé.

Le dialogue est d'autre part un moyen commode pour le romancier de souligner les particularités propres à chacune des deux cultures. Le ton n'est plus celui de la menace ou du mépris mais plutôt celui de la conversation véritable. C'est ainsi que Mongo Béti, faisant discuter, dans *Le pauvre Christ de Bomba*, le Père Drumont et son cuisinier Zacharie, ébauche un parallèle entre les conceptions religieuses de l'Europe et celles de l'Afrique. De même, les conversations entre Nini et ses collègues européens au bureau permettent à A. Sadji de traduire, à travers son héroïne, les aspirations et les hantises de la société métissée de Saint-Louis, reniée par les Noirs, méprisée par les Européens. Il peut également arriver que la conversation prenne un tour plus nettement philosophique. Ousmane Socé en donne quelques exemples, notamment dans le chapitre XII de *Mirages de Paris*, en mettant en scène Fara, partisan du « métissage culturel » et Sidia défenseur de la

« négritude exclusive ». Aké Loba, dans *Kocoumbo, l'étudiant noir* et Cheikh Hamidou Kane, dans *L'aventure ambiguë*, nous montrent deux personnages cherchant à se définir par rapport à l'Occident incarné, dans les deux œuvres, par deux jeunes filles militantes du Parti communiste avec lesquelles ils ont de longues conversations. Là encore il s'agit plus d'un approfondissement de la culture à laquelle chacun appartient que d'une analyse de la personnalité de deux individus.

Le procédé a été très largement utilisé et n'est d'ailleurs pas exempt de tout danger car l'auteur tend à se substituer à ses personnages au détriment de la vérité romanesque. C'est pourquoi on peut opposer aux œuvres précédentes certains romans qui ont, au contraire, le mérite de nous présenter des dialogues reproduisant avec exactitude le parler véritable des personnages. Parmi celles-ci on retiendra particulièrement *Le débrouillard* et *Mission terminée*. Critiquables sur le plan strictement littéraire, les nombreuses conversations que rapporte N. G. M. Faye dans son autobiographie ont un air évident de vérité et permettent à l'auteur d'évoquer sans fard ni indulgence excessive les différents milieux où se situe l'action du roman. Mongo Béti, dans *Mission terminée*, se montre également animé du même souci. Cependant son art est plus concerté. Ce qu'il recherche, c'est moins la peinture exacte du milieu que la logique interne des personnages. Ceux-ci s'expriment en un langage absolument conforme à leur culture villageoise. Leur parler caractérisé par des onomatopées burlesques, des mots populaires, des obscénités, des images crues, un ton débraillé, n'est peut-être pas « vrai », mais personne en tout cas ne peut nier qu'il soit *vraisemblable*.

Le récit à la première et à la deuxième personne ainsi que le dialogue constituent des formes d'expression que les romanciers adoptent spontanément lorsqu'ils veulent décrire l'Afrique d'aujourd'hui. D'autres auteurs se montrent davantage *préoccupés par les problèmes de la technique romanesque* et s'efforcent de dépasser le stade du simple récit en créant une œuvre achevée. Les tentatives que nous évoquerons sont diverses mais révèlent chez les romanciers un désir identique d'objectiver le réel et de créer un univers entièrement distinct de l'auteur. Cette objectivation du réel, plusieurs romanciers l'obtiennent grâce à une composition rigoureuse et savante. Nous avons vu le rôle que cette dernière jouait dans des œuvres évoquant le milieu traditionnel, comme *L'enfant noir, Le regard du roi, Un piège sans fin*. De la même manière Cheikh Hamidou Kane, dans *L'aventure ambiguë*, établit une correspondance sans faille entre la structure du roman et le drame de Samba Diallo, déchiré entre deux mondes faisant ainsi de son œuvre un tout cohérent et autonome. Le livre est composé de deux grandes parties — de neuf chapitres chacune — consacrées respectivement à la vie du héros en Afrique et à son séjour en Europe. La deuxième partie comprend un chapitre supplémentaire constituant la conclusion du débat. D'une partie à l'autre les chapitres se répondent (I. VII et II. VII traitant tous deux des fins dernières de l'humanité) ou s'opposent de façon antithétique (I. 1 et II. 1 : deux formes de la sagesse, deux aspects de la connaissance : la récitation du Coran sous la férule du Maître et la discussion philosophique dans le salon des Martial). L'opposition systématique des personnages accentue d'autre part la composition antithétique du livre : d'un côté, Thierno, le Chevalier, la Grande Royale, le chef des Diallobé, le Fou, Pierre-Louis et Adèle, de l'autre, Lucienne, Paul Lacroix, M. Martial ; au centre du drame, Samba Diallo. Toutes ces oppositions sont là pour nous rappeler que le drame ne peut pas évoluer et que, dès le départ, le héros est enfermé dans le « huis clos » de sa double nature. Il s'agit ainsi d'un drame statique que Cheikh-Hamidou Kane a traduit sur un mode essentiellement pictural plutôt que proprement romanesque et, comme le rappelait très justement M. Vincent Monteil, « les personnages sont des « types » — ou des pièces de jeu d'échecs : le maître, le chef, le chevalier, le fou (et cette femme de cœur et de tête : La Grande Royale — incarnation de l'Africaine) »[1].

Parmi les romanciers qui se montrent préoccupés par les problèmes concernant la composition et l'architecture romanesque, une place importante doit être faite à Sembène Ousmane. *Le docker noir*, paru en 1956, traduisait déjà ce souci de recherche formelle. Le roman racontait comment un docker syndicaliste tuait involontairement une femme écrivain qui s'était emparée d'un manuscrit, *Le dernier voyage du négrier Sirius*, qu'il lui avait confié. L'œuvre du docker était insérée dans le récit du procès qui lui était intenté. *Le docker noir* était souvent mélodramatique et schématique dans les jugements qu'il portait mais la technique, comme dans *Tante Bella*, était neuve. *O pays, mon beau peuple !* publié en 1959 est d'une facture plus classique. Le livre relate, de façon linéaire, les luttes menées par Oumar Faye, marié à une Européenne, à la fois contre les Blancs et les conservateurs africains. Le style est plus simple que dans *Le docker noir* et les jugements beaucoup plus nuancés. Avec *Les bouts de bois de Dieu*, Sembène Ousmane a écrit son meilleur livre. Relatant la grève des cheminots du Dakar-Niger en 1947-1948, l'auteur réussit à situer l'action de son roman à la fois à Dakar, Thiès et Bamako sans tomber dans le danger de l'éparpillement. Il évite ainsi l'anecdote en rattachant chaque fois à un ensemble plus vaste et qui les dépasse les événements particuliers, selon un art qui rappelle les premières pages de *L'espoir* d'André Malraux. *L'Harmattan*, paru en 1964, reprend la technique

---

1. *L'aventure ambiguë*, préface.

« unanimiste » des *Bouts de bois de Dieu*. Le livre, dont seul le premier tome est paru, *Référendum*, est une vaste chronique consacrée à l'Afrique depuis son indépendance. Trois soucis ont animé l'auteur dans ce roman : réunir une documentation solide et directe — dans la tradition de *Doguicimi* — sur l'atmosphère politique des différents États de l'ex-A.O.F. et A.E.F. Dépasser les faits anecdotiques et arriver, par un effort de synthèse, à des schémas généraux ou à des personnages à la fois complexes et fortement typés, à la manière des grands romanciers comme Balzac ou Proust : « *L'Harmattan*, écrit-il, ne se passe dans aucun des États africains dits d'expression française, j'emprunte à chacun un fait, un événement de la vie de la cité. Mon intention est que chacun y décèle, y voie un peu de lui-même selon la vie qu'il mène »[1]. Enfin rester l'interprète du peuple et continuer de jouer le rôle des anciens griots : « La conception de mon travail découle de (leur) enseignement : rester au plus près du réel et du peuple »[2]. Sembène Ousmane s'est également affirmé dans la nouvelle avec *Voltaïque* (1962) et *Véhi-Ciosane* (1966). *Voltaïque* en particulier offre un tableau très varié des diverses manières de l'auteur sur le plan de l'écriture romanesque. Ce dernier s'exprime tantôt au moyen de la forme classique de la nouvelle telle qu'elle apparaît chez Maupassant, par exemple, pour flétrir l'exploitation des domestiques par certains Européens, *(La Noire de...)*, les aspects les plus rétrogrades des coutumes traditionnelles comme la polygamie *(Ses trois jours)* ou les excès de la nouvelle bourgeoisie noire *(Prise de conscience)*, tantôt au moyen de la lettre, pour peindre les souffrances d'une Africaine transplantée à Marseille et qui étouffe au milieu des siens *(Lettres de France)*.

Pour exprimer les contradictions du monde moderne, Charles Nokan a, lui aussi, dans *Le soleil noir point* et *Violent était le vent*, largement usé de la technique « unanimiste ». *Le soleil noir point*, qui comprend soixante-dix pages, est constitué par la succession de soixante-quatre tableaux d'inégale longueur. Ceux-ci sont de ton et de forme très différents : lettres, monologues intérieurs, dialogues, rêves, morceaux descriptifs, théories politiques, etc... Le livre obéit à une esthétique qui rappelle *La Préface de Cromwell* de Victor Hugo et applique à fond la théorie du mélange des genres. Cette liberté dans l'expression n'empêche pas une rigueur dans la composition comme le signale M. Robert Pageard dans l'ouvrage que nous avons déjà cité : « *Le soleil noir point* se décompose, sans que l'auteur le dise, en deux ouvrages. Le premier relate la vie d'un étudiant noir en France : c'est l'histoire de Tanou (p. 19 à 36)... la seconde relève de ce qu'on peut appeler la littérature des phalanstères : cette littérature montre

---

1. *L'Harmattan*. I. *Référendum*, avertissement de l'auteur.
2. *Ibid*.

la réalisation d'un idéal de vie sociale par un groupe d'hommes et de femmes passionnés, généralement jeunes »[1]. Malgré l'intérêt qu'elle présente, la tentative de Nokan n'est pas à l'abri des critiques. *Le soleil noir point* n'assimile pas toujours l'apport littéraire de l'Occident et M. Pageard concluait très justement son analyse en ces termes : « Cette tentative formelle mérite une large diffusion. En revanche, il est nécessaire de mettre la jeunesse en garde contre les raideurs et les artifices de langage qui laissent finalement un pénible sentiment de truquage et donnent à l'œuvre un goût de mort bien involontaire »[2]. *Violent était le vent* reprend le thème du *Soleil noir point* et la technique reste à peu près la même. Cependant, dans cette deuxième œuvre, Charles Nokan a mis avec honneur l'accent sur le déroulement dramatique du roman, évitant ainsi l'éparpillement « poétique » qui nuisait à l'unité du *Soleil noir point*. Parmi les tentatives intéressantes pour évoquer le monde actuel, on notera encore celle de Cheikh Dia dans *Avant Liberté I*. Désirant retracer l'atmosphère qui régnait au Sénégal à la veille de l'indépendance, Cheikh Dia use du procédé suivant : Un hôtelier parisien obligé de dire à un Africain venu lui demander une chambre, qu'il « est complet », revoit tout à coup le séjour qu'il fit autrefois en Afrique. Le procédé permet ainsi à Cheikh Dia une objectivation complète du réel puisque ce dernier est perçu non par l'auteur mais par un Blanc.

Les recherches portant plus spécialement sur l'expression romanesque restent dans l'ensemble assez rares, malgré les notables exceptions que nous venons de voir. La raison de cet état de choses vient sans doute de ce que, à l'heure actuelle, les romanciers hésitent entre l'écriture romanesque proprement dite et *les vertus du conte* dont ils ont une expérience directe. L'influence de la littérature orale se traduit d'abord dans un très grand nombre de romans par de fréquentes citations empruntées à des conteurs ou des poètes. Déjà dans *Mirages de Paris*, Ousmane Socé interrompait la narration et faisait raconter par son héros l'histoire légendaire de Penda. Certains romanciers vont même jusqu'à donner à l'ensemble d'une œuvre le ton de l'oralité. Ainsi, Charles Nokan, dans *Le soleil noir point* et *Violent était le vent*, écrit de nombreux développements poétiques, Fily Daby Sissoko, dans *La passion de Djimé* et *La savane rouge*, use fréquemment du verset et Sembène Ousmane termine son recueil de nouvelles *Voltaïque* par le poème *Nostalgie*, version poétique du récit en prose qui précède *La Noire de...* La présence du conte se manifeste également par un goût pour le récit mythique ou la fable. Sembène Ousmane, par exemple, rappelle dans *Voltaïque*, au moyen d'un conte légendaire, *La Mère*,

---

1. *Littérature négro-africaine*, p. 114.
2. *Ibid.*, p. 114.

quel doit être le vrai rôle de la femme et attaque avec violence dans une fable satirique, *Communauté*, le projet de « communauté rénovée ». De même, Ibrahim Issa, dans *Grandes eaux noires*, imagine une légende, concernant le peuple fabuleux des Garamantes. Le récit est coupé de remarques et d'allusions relatives à la vie actuelle. Il s'agit donc d'un conte moral et philosophique plutôt que proprement historique. Mais le style se caractérise malheureusement par une grandiloquence souvent fâcheuse.

Les exemples que nous venons d'évoquer révèlent l'importance que conserve encore la littérature orale aux yeux des romanciers africains d'aujourd'hui. Pourtant, à ce stade, la présence de l'oralité apparaît souvent comme un procédé littéraire, un ornement. Le goût des citations le montre — qui ne modifie pas toujours la démarche générale des œuvres fréquemment conçues selon des modèles européens. Au contraire, *l'humour* qui anime si puissamment les romans de Mongo Béti et F. Oyono semble avoir été puisé à la source même de l'oralité et accentue le glissement vers le conte. F. Oyono est surtout un caricaturiste qui excelle dans l'art de ridiculiser le monde qu'il déteste pour mieux le détruire et l'arme se révèle autrement efficace que la colère ou la révolte. *Une vie de boy* se présente comme une autobiographie dans laquelle le malheureux Toundi nous conte ses tribulations : nous voyons ainsi évoluer sous nos yeux, sur le mode de la farce, les principaux acteurs de la vie coloniale dans une petite ville du Cameroun : « Le Commandant », « Madame » et son amant, « M. Moreau », le Directeur de la prison, l'aumônier, « Gosier d'Oiseau », l'auxiliaire de M. Moreau, etc. Les défauts ne manquent pas et M. Simon Battestini avait raison de se montrer sévère : « Il arrive qu'Oyono cède, écrivait-il, à la pesanteur des commérages où à la futilité du « roman-potin »… son parti pris d'être drôle tourne parfois à la plaisanterie d'almanach »[1]. Le livre laisse pourtant dans son ensemble une impression de réussite qui tient au procédé employé par Oyono : Toundi est dénué de tout esprit critique et les remarques qu'il fait dans son journal sont d'autant plus drôles qu'à aucun moment il n'a la moindre intention de faire rire. C'est ici que l'humour débouche sur l'horreur puisqu'on se rend compte alors que le narrateur, persuadé que tout est arrivé à cause de sa gourmandise, a été complètement dévoré par le monde dans lequel il vit. *Le vieux nègre et la médaille* est d'une composition rigoureuse : une première partie décrit, en accumulant les effets comiques, les paysans naïfs se préparant pour la fête dont Méka sera le héros, une deuxième partie où Méka découvre le « revers » de sa médaille, une troisième partie qui raconte le retour de Méka chez les siens. L'intérêt du livre est de montrer comment les paysans surmontent leurs

---

1. *L'humour chez Ferdinand Oyono* (*Actes du colloque de Dakar*, 1963, p. 190).

propres difficultés en passant peu à peu de l'aliénation à l'humour, seul moyen de vaincre le réel. La leçon apparaît nettement dans les dernières pages du livre, par la bouche de Nei, lorsqu'il dit à Méka et à ceux qui pleurent sa « mésaventure » : « Êtes-vous devenus tous des Blancs ? Vous ne connaissez plus la plaisanterie ! » *Chemin d'Europe* élève également l'humour au rang d'une véritable philosophie. Il est la clef du caractère du narrateur, Aki Barnabas, comme il nous le confie lui-même au début de son récit : « J'ai gardé devant les angoisses sincères ou feintes un certain sens de l'humour qui m'a souvent fait passer pour un être léger, amoral. Ce goût vif de la drôlerie, critère quasi absolu auquel je rapportais tout, faisait le désespoir de mon père, pieux vieillard à la gifle facile »[1]. En découvrant grâce à l'humour l'incohérence du monde, Aki Barnabas cesse d'être une victime.

Trois romans de Mongo Béti : *Le pauvre Christ de Bomba*, *Mission terminée* et *Le roi miraculé* sont profondément marqués par l'humour. Cependant, la caricature y est beaucoup moins marquée que chez Oyono et l'humour est ici beaucoup plus nuancé, plus proche de sa définition originelle. *Le pauvre Christ de Bomba* reprend le procédé utilisé dans *Une vie de boy* : le roman est constitué par le journal de Denis, le boy naïf du père Drumont, qui nous raconte une tournée pastorale chez les Tala. *Mission terminée* rappelle *Chemin d'Europe*. Le narrateur Jean-Marie Medza n'est pas un naïf comme Denis mais un être déclassé par sa condition de lycéen. Tout au long du roman, Mongo Béti se sert des procédés caractéristiques de la littérature picaresque — le mot est de Mongo Béti lui-même — telle que l'a illustrée en France Lesage avec *Gil Blas* et surtout Marivaux avec *Le paysan parvenu*. Citons seulement le titre du chapitre I qui résume parfaitement la technique de *Mission terminée* : « Chapitre premier, au cours duquel le lecteur apprendra le voyage tumultueux du héros, prodrome inquiétant à ses vacances aventurières. Le lecteur sera également informé des vicissitudes matrimoniales à la suite desquelles le nommé Niam, personnage peu recommandable, en vint à charger sans scrupule ni vergogne un tout jeune garçon, presque un bébé, d'une expédition périlleuse dans un pays inconnu sinon hostile. » *Le roi miraculé* est une chronique burlesque qui relate les bouleversements apportés à la tribu des Essazam par la décision prise par leur chef sous l'influence du P. Le Guen de se convertir au christianisme et de répudier toutes ses femmes, ce qui compromet les alliances contractées avec d'autres tribus lors de ses mariages successifs.

A F. Oyono et Mongo Béti, il convient d'ajouter Bernard Dadié qui, dans *Un nègre à Paris*, tire également un grand parti de l'humour. Le roman consiste en une longue lettre de deux cent trente pages,

---

1. *Chemin d'Europe*, p. 10.

écrite du 14 juillet au 2 août 1956, et dans laquelle Tanhoé Bertin décrit les impressions éprouvées lors de son séjour dans la capitale française. Le procédé n'est pas neuf : il remonte sans doute au chapitre XXXI du livre I des *Essais* de Montaigne (« *Des Canibales* ») et a trouvé sa plus parfaite expression avec *Les Lettres persanes* de Montesquieu, qui eut de nombreux continuateurs jusqu'à la veille de la Révolution. Mais il convient parfaitement à B. Dadié dont le dessein n'est pas d'écrire une satire mordante contre les Européens mais seulement de montrer, derrière les travers de la vie quotidienne des Parisiens, l'universalité de l'âme humaine. Un style simple fait de phrases courtes et hachées permet à l'auteur de traduire l'étonnement perpétuel qui s'empare de son héros dès qu'il met le pied dans la capitale française.

Telles sont les principales techniques par lesquelles les romanciers essayent de peindre la collectivité d'aujourd'hui déchirée par les conflits culturels. On peut se demander si, en définitive, le roman est vraiment capable de décrire une collectivité. Car, malgré des réussites certaines, on ne trouve pas tout à fait dans le roman, au même degré, le souffle puissant dont est animée la poésie lorsqu'elle chante l'Aventure de la race noire. Il semble bien — mais c'est là un problème d'esthétique littéraire qui déborde largement notre propos — que la poésie ou l'épopée soit plus apte que le roman à l'évocation d'une conscience collective.

C. *L'expression du « moi » des personnages.*

Nous venons d'étudier les différents procédés par lesquels les romanciers décrivent la collectivité du passé et du présent ainsi que la situation actuelle, marquée par les conflits de culture. Il convient maintenant de voir comment ceux-ci expriment le « moi » de leurs personnages. On sait que traditionnellement, dans la société comme dans la littérature, le « moi » n'apparaît guère et que les préoccupations de l'individu doivent toujours se rapporter à l'ensemble du groupe auquel il appartient. Les bouleversements que connaît aujourd'hui l'Afrique ont amené l'individu à se définir à la fois face à la société traditionnelle et au monde moderne et à prendre conscience de sa propre individualité. Le mouvement reste pourtant limité et les anciennes normes continuent de jouer leur rôle. C'est ainsi que les personnages mis en scène par les romanciers s'individualisent tout en évitant soigneusement de se singulariser. L'individu qu'ils décrivent reste toujours proche des siens ; son aventure est celle de sa génération : « Je regarderai pour moi, pour toi, pour tous les nôtres »[1], s'écrie Tanhoé Bertin avant de partir pour Paris. Le héros romantique, hostile à toute forme de société

---

1. *Un nègre à Paris*, p. 10.

et criant « familles, je vous hais ! » ne peut guère exister chez un auteur africain.

Pour exprimer le moi de leurs personnages, les romanciers africains utilisent, bien sûr, les mêmes procédés généraux que n'importe quels autres romanciers. On trouve d'abord un fréquent usage du récit à la troisième personne où alternent narration, dialogues, style indirect conjonctif, style indirect libre, lettres, poèmes. Cependant, il faut noter que le style indirect libre reste rare alors qu'il permet d'alléger considérablement la phrase. Il n'existe guère, de façon suivie, que dans *Climbié* et *Maïmouna* (« Toute présence étrangère lui était importune », p. 24). L'autobiographie jouit également d'une grande faveur mais on doit distinguer soigneusement la véritable autobiographie, introspection du narrateur, de celle qui vise d'autres buts, comme *Une vie de boy* ou *Le pauvre Christ de Bomba*. Les plus intéressantes sur le plan de l'analyse sont *L'enfant noir*, *Mission terminée* et *Cette Afrique-là*. Quelques écrivains ont été aussi séduits par le procédé du monologue intérieur, employé tout au long du roman comme dans *Ville cruelle* ou *Avant Liberté I*, ou seulement de façon épisodique, comme dans *Cœur d'aryenne* ou *Vers de nouveaux horizons*.

Ces divers procédés restent cependant dans leur ensemble peu hardis et ne nous permettent pas, pour cette raison, d'entrer dans l'âme des personnages. Le seul moyen en définitive dont dispose le romancier pour exprimer le « moi » des individus qu'il fait vivre sous nos yeux reste *le style* et c'est à ce niveau seul qu'on peut noter les particularités les plus intéressantes. On doit d'abord distinguer certaines phrases d'analyse psychologique dans lesquelles l'auteur ou le narrateur maîtrise son sujet et tente d'expliquer un état d'âme. Les unes sont caractérisées surtout par une émotion sous-jacente, à peine contenue. C'est le cas de *Cette Afrique-là* et de *L'enfant noir*. Camara Laye décrit ainsi les sentiments qu'il éprouve, lorsque après avoir subi les épreuves de la circoncision, il s'apprête à revêtir les nouveaux vêtements d'homme que sa mère lui a préparés : « ... les vêtements, sur le lit, étaient des vêtements d'homme ! J'étais un homme !

» — Es-tu satisfait de tes nouveaux vêtements ? demanda ma mère.

» Satisfait ? oui, j'étais satisfait : il allait de soi que je fusse satisfait. Enfin je crois bien que j'étais satisfait. C'étaient de beaux vêtements, c'étaient... Je me tournai vers ma mère : elle me souriait tristement... »[1]. Cette phrase rend un son insolite et il n'est pas sûr qu'elle aurait pu être écrite par un Européen. L'analyse reste sommaire, et pour traduire son émotion, l'auteur cherche essentiellement à rapprocher deux réalités opposées, deux ordres différents. On notera aussi

---

1. *L'enfant noir*, p. 178.

l'importance des répétitions : le fait nouveau est perçu globalement. Chez d'autres auteurs, la phrase prend un tour plus abstrait, davantage influencée par l'Europe, peut-être parce qu'elle est chargée d'exprimer des notions moins naturellement familières à l'individu. Ce deuxième type de phrase est fréquent, surtout quand il s'agit de traduire le drame de l'acculturation : « Fara, écrit Ousmane Socé, se prit à comparer ces pays (d'Afrique) à celui qu'il venait de connaître. En Europe, une longue suite de générations, par un effort tenace, avait accumulé un patrimoine de travail et de savoir gigantesque ; et combien le patrimoine de sa pauvre Afrique lui parut faible ! Il comprit pourquoi le Blanc, héritier et dépositaire de cette richesse, le regardait hautain »[1]. On retrouve le même ton dans *Kocoumbo*, lors des discussions du héros avec Denise et tout au long de *L'aventure ambiguë*, au point que M. Pierre-Henri Simon pouvait dire que le livre était « parfois trop dissertant, et trop bien écrit, car tout le monde, même la Grande Royale, y parle un langage de congrès de philosophes »[2].

Au contraire, quand il s'agit seulement d'évoquer et non plus d'expliquer un sentiment, la phrase prend très fréquemment l'allure d'une litanie. C'est le procédé de J. Malonga, dans *Cœur d'aryenne*, de Benjamin Matip, de R. Atta Koffi, de B. Dadié entre autres. Voici par exemple comment ce dernier exprime la joie de Tanhoé Bertin au moment où le héros va partir pour Paris : « La bonne nouvelle, mon ami ! La bonne nouvelle ! J'ai un billet pour Paris, oui, Paris ! Paris dont nous avons toujours tant parlé, tant rêvé. J'y vais dans quelques jours. Je vais voir Paris, moi aussi, avec mes yeux. Désormais, je serai un peu comme tout le monde, je porterai une auréole, un parfum, l'auréole et le parfum de Paris. Je vais toucher les murs, les arbres, croiser les hommes »[3]. Ce type de phrase est particulièrement utilisé pour traduire des sentiments amoureux. Dans *Mirages de Paris*, Fara écrivait ainsi dans une lettre à Jacqueline : « Vous êtes tour à tour gaie, triste, selon que je suis rieur ou mélancolique... (mon amour) s'est développé peu à peu à l'ombre de notre amitié, nourri par le charme de votre esprit, de vos sentiments et par je ne sais quoi venant de vous, inexprimable, mais n'en existant pas moins dans votre style, le bleu de votre papier, votre écriture qui est irrésistiblement séduisante, infiniment agréable[4] ». Dans une autre il ajoutait : « Il me faut, désormais, Vous et Paris, Paris dans Vous et Vous dans Paris. Je ne pourrais vous dire ce que je ressens qu'avec des mots faits de douleur, de tendresse, de regret et d'espérance aussi »[5]. De même Samou s'écriait

---

1. *Mirages de Paris*, p. 40-41.
2. *Le Monde*, 26 juillet 1961.
3. *Un nègre à Paris*, p. 7.
4. *Mirages de Paris*, p. 71 et 73.
5. *Ibid.*, p. 71 et 73.

dans une lettre à Kany, l'héroïne de *Sous l'orage* : « Ah ! Kany ! Toi ! la liberté ! »[1].

Le lexique des romanciers africains d'expression française offre encore plus de particularités que le mouvement général des phrases. On est d'abord frappé par la rareté des mots abstraits ou à résonance philosophique. Le registre des sentiments, au contraire, est assez large, mais la tristesse semble généralement l'emporter sur la joie. D'autre part, les mots employés impliquent presque toujours une réaction physique immédiate. Voici comment O. Socé évoque l' « attaque » d'un morceau de jazz par des musiciens noirs dans *Mirages de Paris* : « Ils se recueillirent un instant les yeux clos, comme pour retrouver un état d'âme que le tumulte d'alentour avait refoulé. Leurs traits s'amollirent, leurs regards s'embuèrent de mélancolie. Il relevèrent doucement la tête et leurs doigts chargèrent la guitare du frisson de leur tristesse. Une tristesse de longue date qu'ils savaient par cœur. Ils en rompirent la digue, la laissèrent déborder pour se griser de son vertige... »[2].

De même, cette phrase tirée de *Cœur d'aryenne* résume parfaitement les sentiments qu'éprouvent tout au long du livre Mambéké et Solange : « Les deux enfants se regardent intensément. Que se disent-ils ? Que signifient ces regards mélancoliques et doux à la fois »[3]. « Tristesse, » « mélancolie », « espoir », « déception », « langueur », « solitude », etc. Toute une partie du vocabulaire vise à l'expression de sentiments qui sont beaucoup plus un état d'âme qu'une passion véritable. De la même manière, la joie n'a rien de violent. Elle se traduit par des termes qui suggèrent le calme, l'anéantissement de l'individu. Citons encore O. Socé dans *Mirages de Paris* : « Dans le désert d'incertitude où il s'aventurait il avait rencontré une oasis ; il voulait s'y reposer sans plus songer au bon pays d'ordre d'où il venait, sans même songer aux enlisements possibles de demain. Par la pensée, il disait à Jacqueline : soyez belle et affectueuse, ne me parlez ni de passé, ni d'avenir. Laissez-moi oublier mes soucis dans la contemplation de votre beauté, laissez-moi dormir sur votre sein »[4]. Cet anéantissement, les personnages le trouvent dans la sensualité. Deux termes essentiels qu'on retrouve pratiquement dans tous les romans servent à l'exprimer : la flamme, image du désir et du tourment, et toute une série de mots, impliquant une conscience atténuée, proche du bonheur : Ousmane Socé exprime ainsi les sentiments de Fara : « Le sang de Fara charriait du feu... tout d'un coup, elle renversa la tête, les yeux fermés, accepta le baiser, une longue communion de leur chair et de leur âme, rythmée par leurs respirations courtes et tumultueuses. Le premier baiser de l'aimée,

---

1. *Sous l'orage*, p. 126
2. *Mirages de Paris*, p. 56-57.
3. *Cœur d'aryenne*, p. 197.
4. *Mirages de Paris*, p. 81.

suave comme un fruit d'automne, flamboyant comme le lever d'un soleil de bonheur, odorant comme une émanation d'âme, immense comme une promesse de félicité ! »[1]. Dans *Cœur d'aryenne*, également : « Mambéké, étouffé par les larmes, anéanti lui aussi dans un bonheur paralysant, meurtrier et divin, s'abandonne à l'étreinte virginale de celle qu'il continue à appeler sa petite sœur »[2]. Nini, l'héroïne de Sadji, aspire à ce bonheur. Nous la voyons un soir dans son salon essayant en vain de lire : « Nini ouvre *La muse gauloise* et se met à lire. Peu à peu la volupté monte en elle comme un fleuve d'oubli. Ses yeux se dilatent et brillent ; ses paupières battent frénétiquement. Un moment d'euphorie la traverse. Elle se lève, étend les bras et bâille longuement, très longuement. Puis elle regagne sa petite chambre aménagée en boudoir où des coussins moelleux jonchent le parquet... elle ouvre le buffet et en sort une bouteille de porto. Coup sur coup elle avale trois petits verres. Une tendresse infinie baigne alors tout son être. Elle devient amoureuse et lascive. Hélas ! elle n'a aucun partenaire pour répondre à ses élans généreux »[3].

La qualification appelle certaines remarques. D'une façon générale dans la peinture des sentiments, on observe un goût très net pour les adjectifs et les adverbes vagues, car il s'agit comme on l'a vu d'évoquer des états d'âme, plus que des passions véritables. Dans *Mirages de Paris*, nous trouvons notamment « les reflets insaisissables de son bonheur » (p. 87), « inexprimable », « irrésistiblement séduisante », « infiniment agréable » (p. 71), « des épaules blanches, harmonieuses comme un songe d'artiste » (p. 80), etc. Au contraire la description du monde matériel amène des adjectifs violemment colorés, sans aucune teinte indécise : « Il me faut désormais, écrit Fara dans une lettre à Jacqueline, les perspectives vertigineuses de la capitale, sa féerie multicolore des soirs, ses spectacles, sa vie trépidante »[4]. Les métaphores sont souvent préférées à l'adjectif et semblent correspondre à certains aspects des langues traditionnelles. Voici par exemple comment Seydou Badian évoque le ton des lettres échangées entre Kany et Samou : « Kany et Samou s'étaient rencontrés au cours d'une kermesse organisée au bord du fleuve. Leurs regards s'étaient croisés une, deux, trois fois ; Samou, le lendemain, avait écrit. Il avait parlé d'amour, d'étoiles, de flèches de feu et de Kany aux dents de lumière »[5].

Le style donne parfois l'impression *d'imiter diverses tonalités de la littérature européenne*. Il faut noter en premier lieu le prestige qu'exerce l'exotisme. L'Afrique où vivent les personnages se trouve

1. *Mirages de Paris*, p. 86.
2. *Cœur d'aryenne*, p. 231.
3. *Nini*, p. 304.
4. *Mirages de Paris*, p. 72.
5. *Sous l'orage*, p. 21.

alors paradoxalement dotée de tous les charmes mystérieux inhérents aux « pays lointains ». Seydou Badian nous fait part des rêveries de son héroïne : « Elle avait rêvé de la petite maisonnette dont leur parlait l'institutrice européenne, maisonnette ornée d'un salon éblouissant aux meubles lourds ; elle avait rêvé du petit jardin où s'enchevêtrant, la jacinthe, le géranium et la rose mêleraient miraculeusement leur parfum aux senteurs tropicales. Elle avait rêvé de promenades au bord du Djoliba à l'heure où le soleil mourant étale son linceul d'or sur le fleuve au repos »[1]. De même, Fara parlait d' « oasis » (p. 81), de « pulpe des lèvres » (p. 81), de « tornades et de torrents d'eau », de « tabac d'Orient » et « d'effluves d'un corps bien-aimé » (p. 109), etc.[2] et c'est également ainsi que Nini et Maïmouna considèrent leur propre pays. Les exemples que nous venons de citer servaient à traduire l'état d'esprit de certains personnages, mais il peut arriver que l'auteur lui-même prenne à son compte les expressions de ce genre et se montre séduit par l'exotisme. Bernard Dadié décrit ainsi une boutique dans *Climbié* : « Chaque boutique avait, sur son comptoir, sa balance Roberval pour peser les menus objets, tabac noir, par feuilles, sucre en vrac, sel marin, sel gemme non ensaché, piment, poivre, oignon, poisson sec. Dès le seuil les parfums de tous ces produits, mélange de goudron, de naphtaline, d'essences diverses, de senteurs de tous les degrés, vous assaillaient, vous assiégeaient, ne vous lâchaient plus »[3].

La langue parlée couramment en France, influencée par la radio et le journalisme, souvent vulgaire, est quelquefois utilisée par les écrivains pour exprimer les sentiments profonds de leurs personnages. Cette tendance traduit sans aucun doute chez ces derniers le désir d'accéder et de participer à un univers culturel qu'ils jugent prestigieux. *Le débrouillard* est rempli de termes du genre de « ma môme » (passim), « il faut que je travaille, ai-je redit » (p. 115), « les maquereaux de la boxe » (p. 104), « son ex-exploiteur » (p. 105), « tu es un salaud » (p. 89), « moi, j'attendais la saison cinquante sept. Mais j'avais grossi d'un kilo... Je décidai donc de boxer dans les 'plumes' » (p. 90), etc., de mots de liaison comme « mais », « alors » et des verbes passe-partout « dire » et « faire ». Dans *Les dernières paroles de Koimé*, on trouve une lettre adressée par le héros à une jeune fille, très caractéristique des tendances que nous signalons : « Chère Madeleine, je suis le gars qui vint dans votre classe vous surveiller dans le mois de mai, quand l'inspecteur était venu. Je conçus alors pour toi un amour qui, avec le temps, est devenu si grand que je ne peux vivre loin de toi.

---

1. *Sous l'orage*, p. 21.
2. Cf. *Mirages de Paris*, p. 62 : « La rumba évoquait une fille noire se balançant dans son hamac, à la tombée des soirs, bercée par la complainte d'une guitare. »
3. *Climbié*, p. 131.

Daigne lire ces mots que je t'envoie du fond de mon cœur et m'en faire une réponse favorable. Car, Mademoiselle, ma vie dépend d'un seul mot de toi. Réponds-moi. Koikou »[1]. On notera les clichés typiques des bandes dessinées et le mélange des tons.

La langue de la politique et de l'administration exerce également son prestige pour les mêmes raisons que tout à l'heure. On se souvient que M. Robert Pageard le remarquait dans le roman de Nazi Boni, *Crépuscule des temps anciens*. Dans l'extrait de Raphaël Atta Koffi que nous venons de citer nous pouvons relever le plaisir que prend l'épistolier à écrire « Mademoiselle » et les mots « réponse favorable ». De même, dans *Vers de nouveaux horizons*, Denis Oussou-Essui écrit : « Georges marchait en essayant de coordonner ses idées embrouillées »[2].

Fréquemment les personnages s'expriment par le truchement de formules empruntées à la poésie traditionnelle ou européenne. Les citations que font les romanciers viennent naturellement continuer la méditation de l'individu. Seydou Badian en fait un grand usage dans *Sous l'orage* : « Kany rêvait d'amour et d'avenir... souvent on l'entendait chantonner le chant du serment que les jeunes filles disent quand elles ont choisi :

O que ma tête soit entre deux glaives
Je lui resterai fidèle... [3].

Voici un autre exemple : « Kany tremblait de tous ses membres. La voix reprit : « Sortez, l'heure arrive. » Kany comprit ce qui se passait... »[4]. *Mirages de Paris* cite également de nombreux fragments de chansons ou de morceaux de jazz. Dans ce dernier livre, une lettre de Fara illustre tout à fait cette tendance des personnages ; écrivant à Jacqueline pour lui déclarer son amour, Fara songe d'abord à reprendre une formule consacrée et prestigieuse, qui lui paraît mieux définir ce qu'il ressent au lieu de s'analyser lui même : « Paris, novembre 193... Chère amie pensant à vous, il me revient ces mots de Verlaine :

Je fais souvent ce rêve étrange et pénétrant
D'une femme inconnue et que j'aime, et qui m'aime.

Pour moi, vous êtes désormais cette 'étrange inconnue' ».

La lettre se poursuit et se termine tout naturellement par cette phrase : « Cette lettre est l'expression très sincère de moi »[5]. On retrouve là l'emprise de la collectivité traditionnelle qui amène l'individu à s'exprimer selon les normes du groupe, par des formules convention-

---

1. *Les dernières paroles de Koïmé*, p. 67.
2. P. 163.
3. *Sous l'orage*, p. 21.
4. *Ibid.*, p. 95.
5. *Mirages de Paris*, p. 70-71.

nelles mais considérées comme efficaces. Ici, Verlaine joue au fond le même rôle que les griots dont s'entourent les samba linguère de *Karim* ou de *Maïmouna*. L'influence des poètes français se manifeste aussi chez les romanciers par certaines réminiscences qui les ont autrefois frappés et qui leur paraissent être l'expression la meilleure qu'on peut donner à la phrase. Nous en avons relevé quelques-unes : « Je ne peux vivre loin de toi » dans la lettre de Koikou citée plus haut rappelle fort ce vers de V. Hugo :

Je ne puis demeurer loin de toi plus longtemps[1].

De même, Fara écrivant « Sans vous, sans Paris, mon cœur perdra sa force et sa jeunesse »[2] fait penser au « J'ai perdu ma force et ma vie »[3] de Musset. « Les meubles lourds » et les fleurs mêlant « miraculeusement leurs parfums aux senteurs tropicales » auxquels rêve, dans *Sous l'orage,* Kany semble être un souvenir de *L'invitation au voyage* de Baudelaire :

Des meubles luisants,
Polis par les ans
Décoreraient notre chambre ;
Les plus rares fleurs
Mêlant leur odeur
Aux vagues senteurs de l'ambre...[4]

Un passage de ce même poème :

Vois sur ces canaux
Dormir ces vaisseaux
Dont l'humeur est vagabonde...

est « passé » presque tel quel dans une phrase de *Nini* où Sadji écrit : « Sur le gris uni que forme le Petit-bras du fleuve dorment en se balançant des pirogues ventrues aux humeurs vagabondes »[5].

Enfin, dernier aspect du style qui reste à signaler, on remarque chez nombre de romanciers une tendance, consciente ou non, à traduire par un vocabulaire approprié, le plaisir qu'éprouve les personnages à entrer dans la civilisation technique de l'Europe et à se servir des objets matériels. On se tromperait sûrement si l'on ne voyait dans cette phrase de Karim qu'une banalité : « La voiture dévala la pente goudronnée de la route et entra dans Rufisque. Elle s'engagea dans une rue cimentée comme toutes celles de la ville... » De même,

---

1. *Les contemplations*, livre IV, xiv.
2. *Mirages de Paris*, p. 72.
3. Musset, *Tristesse.*
4. Baudelaire, *Les fleurs du mal*, « Spleen et idéal », LIV.
5. *Karim*, p. 84.

dans *Mirages de Paris*, O. Socé prend un plaisir visible à décrire minutieusement, jusqu'aux moindres détails, l'habillement de son héros, ou des gestes n'offrant aucun intérêt pour un lecteur européen à qui cette impression est inconnue. Voici par exemple comment l'auteur décrit Fara faisant sa toilette le matin : « Un savon enroulé dans une serviette, il se dirigea vers la salle de bains. Il ôta son pyjama et fit couler les deux filets d'eau « chaud » et « froid » qui entonnèrent contre la porcelaine leur romance de torrents domestiqués. Appuyé sur le rebord de la baignoire, Fara agitait la nappe d'eau qui montait pour en régler la température. Il plongea de tout son long dans l'eau et resta un instant, immobile, à savourer la caresse du bain »[1].

De même Denis Oussou-Essui dépeint ainsi, dans *Vers de nouveaux horizons*, le « Quartier du Commerce » : « Avec ses maisons blanches éclatantes et les fleurs poussant aux devantures, ses clignotements de lumières multicolores, ses câbles dissimulés dans la terre où circule le courant électrique, dans cette terre sillonnée de canalisations d'eau et d'égouts, pris dans son ensemble, ce reflet de la civilisation apparaissait comme la charpente de l'homme avec ses yeux, ses veines, son sang, son cerveau »[2]. Ce type de description dont on pourrait multiplier les exemples n'est pas du réalisme, mais l'aveu, voulu ou non, des complexes éprouvés par les personnages devant une civilisation qui les éblouit et les écrase. Cet aveu n'est jamais exprimé clairement par l'écrivain, souvent trop proche de son héros ou de son héroïne, il se déduit de tout un ensemble de détails parfaitement inutiles dans l'architecture dramatique du roman.

II. — La situation du romancier africain d'expression française

Les problèmes techniques d'expression littéraire que nous venons de répertorier ne sont pas les seuls qui se posent au romancier africain. Sa situation même est incertaine et son rôle ambigu est parfois contesté.

A. *Le problème de la langue.*

Le romancier africain tout d'abord n'écrit pas dans sa langue maternelle. Comme, d'autre part, il emploie généralement celle du colonisateur ou de l'ex-colonisateur, on a vu très tôt, dans cette particularité, une marque de la condition tragique qui écraserait l'écrivain africain. La thèse est séduisante ; la réalité cependant est autre. Le problème de la langue existe, mais il faut le ramener à ses

---

1. *Mirages de Paris*, p. 76.
2. *Vers de nouveaux horizons*, p. 126.

proportions véritables. Certes, les critères de la correction du style et du ton juste sont toujours plus difficiles à saisir pour un étranger. De plus, la langue qu'il emploie appartient à une culture très différente de la sienne. Les notions qu'il veut évoquer n'existent pas toujours en français et vice versa. On a vu, par exemple, que l'introspection n'existe pratiquement pas dans le roman africain. Pourtant, à ce niveau, le problème de la langue reste secondaire. En effet, dans l'histoire des littératures, les réussites d'écrivains dans les langues d'emprunt ne manquent pas : ni Sénèque ni Lucain n'étaient romains, ni Conrad ni Nabokov anglais. La littérature africaine fournit, elle aussi, des exemples semblables, et dans la même proportion que si le français était la langue maternelle. Aussi, certains théoriciens estiment-ils que la situation actuelle n'est pas un obstacle sérieux au développement des lettres africaines. Parmi ceux-ci nous retiendrons deux opinions assez divergentes mais qui aboutissent en fin de compte au même résultat. La position de L. S. Senghor repose sur la constatation historique qu'il n'y a jamais eu de peuple absolument « pur ». « Pourquoi écrivons-nous en français ? » se demande-t-il, dans la postface, d'*Éthiopiques*. « Parce que nous sommes des métis culturels, parce que si nous sentons en nègres, nous nous exprimons en français, parce que le français est une langue à vocation universelle, que notre message s'adresse *aussi* aux Français de France et autres hommes, parce que le français est une langue de « gentillesse et d'honnêteté ». Qui a dit que c'était une langue grise et atone d'ingénieurs et de diplomates... Écoutez donc Corneille, Lautréamont, Rimbaud, Péguy et Claudel. Écoutez le grand Hugo. Le français, ce sont de grandes orgues qui se prêtent à tous les timbres, à tous les effets, des douceurs les plus suaves aux fulgurances de l'orage. Il est tour à tour ou en même temps, flûte, hautbois, trompette, tam-tam et même canon. Et puis, le français nous a fait don de mots abstraits si rares dans nos langues maternelles où les larmes se font pierres précieuses. Chez nous, les mots sont naturellement nimbés d'un halo de sève et de sang, les mots français rayonnent de mille feux comme des diamants. Des fusées qui éclairent notre nuit »[1].

Janheinz Jahn aborde le problème différemment, en philologue. En effet, comparant dans *Muntu* la philosophie traditionnelle de l'Afrique avec la production littéraire actuelle, en langue européenne, il constate une étonnante continuité caractérisée par la permanence du rythme, du style (« Kuntu ») et de « Nommo », « le pouvoir magique du verbe ». « La littérature africaine, écrit-il, possède ses propres critères stylistiques, ses époques, son rythme particulier de développement »[2]. Janheinz Jahn va même plus loin et pense qu'on est en train d'assister

---

1. *Éthiopiques*, postface.
2. *Muntu*, p. 175 et p. 110 : Muntu = être humain ; Kuntu = chose ; Hantu = lieu et temps ; Kintu = modalité.

à la naissance de langues nouvelles : « Si l'on considère la structure d'une langue comme l'élément essentiel, le plus profond et le plus stable, sur lequel doit s'appuyer toute typologie — ce qui est conforme à tous les enseignements de la linguistique contemporaine — il est impossible de rattacher les parlers en question au groupe indo-européen. Cette constatation renforce notre argumentation basée sur des considérations culturelles : dans l'optique de la pensée africaine, généralement parlant, la fonction précède l'objet et *Kuntu* est plus déterminant que *Kintu* dans la vie concrète.

» Cette situation linguistique spéciale peut nous faire mieux comprendre l'importance toute relative qu'il convient d'attribuer au fait qu'un auteur s'exprime dans telle ou telle langue particulière. Que celle-ci soit effectivement sa langue maternelle ou que son adoption résulte d'un libre choix de l'écrivain on ne peut en aucun cas accuser celui-ci de « trahir sa langue ». Ce n'est pas non plus parce qu'un auteur a la peau noire qu'il y a lieu de rattacher son œuvre à la littérature moderne africaine. Peu importe à vrai dire la couleur de sa peau ! L'appartenance d'un écrivain à la culture européenne ou à l'africaine dépend de la présence dans son œuvre des critères spécifiques d'africanité que nous avons tenté de dégager dans les chapitres du présent ouvrage intitulés respectivement Ntu, Nommo et Kuntu »[1].

Le mouvement à vrai dire est beaucoup plus marqué dans la poésie mais nous avons eu l'occasion d'aborder des œuvres romanesques très particulières par leur structure et le rôle accordé à la dénomination, comme *L'enfant noir, Soundjata, Le regard du roi, Le vieux nègre et la médaille*. Que l'on aille vers le métissage culturel ou vers la création d'un outil linguistique nouveau permettant de traduire, selon un mode spécifiquement africain aussi bien les réalités traditionnelles que celles imposées par le monde moderne, le problème de la langue que *doit* employer l'écrivain négro-africain apparaît ainsi comme un problème mal posé. Il suffit pour s'en convaincre de songer aux réussites éclatantes et relativement nombreuses que nous évoquions à l'instant. Il règne d'ailleurs, à propos du problème de la langue, un malentendu et une confusion que trop d'écrivains, par leurs prises de position, ne font que renforcer : on oublie trop, dans ce débat, que la position de l'écrivain — quel que soit le degré « d'engagement » de son œuvre — ne peut pas être la même que celle de l'homme du peuple. Pour ce dernier, l'obligation d'aller à l'école de style européen, parce que partout triomphe une langue qui n'est pas la sienne et sans l'usage de laquelle il ne sera qu'un paria, est effectivement une expérience traumatisante. Nous renvoyons là-dessus le lecteur aux excellentes analyses du *Portrait du colonisé* de Memmi. Nous avouons au contraire que le trau-

---

1. *Muntu*, p. 223-224.

matisme nous paraît moins évident lorsqu'il s'agit d'un écrivain. En effet, c'est librement que ce dernier décide d'écrire en français, parce que justement il possède cette langue au même titre qu'un écrivain français. Tandis que cette liberté et cette aisance, l'homme de la rue l'ignore et c'est seulement pour vivre un peu mieux qu'il se met à l'étude de la nouvelle langue[1].

B. *Le problème du public.*

En revanche, le problème constitué par les rapports qui se sont établis entre l'écrivain négro-africain et son public apparaît autrement plus grave et, cette fois, réellement traumatisant.

Prenant conscience de la situation historique dans laquelle est née la littérature africaine, l'écrivain s'est senti le devoir d'incarner les aspirations profondes de son peuple mais par opportunisme il a été amené à s'adresser au seul public européen, estimant que le combat ainsi mené serait plus efficace[2]. L'indépendance est venue assez rapidement mais n'a pas modifié la situation. Le paradoxe de l'écrivain qui se veut africain et qui n'a pas de public africain subsiste encore aujourd'hui largement. M. Mohamadou Kane, dans un article de *Présence Africaine, L'écrivain africain et son public,* a fort bien défini le processus : « Le but poursuivi, écrit-il, était d'insuffler à l'Africain la conscience de l'authenticité de sa personnalité et de l'armer pour la reconquête de sa dignité. Les circonstances décidèrent ainsi de la nature, des moyens et des objectifs de ce combat. L'écrivain africain sans moyen véritable de communication avec son peuple dont il n'utilise pas la langue pour délivrer son message, dont il est resté coupé pendant quelques décades, dut faire porter l'essentiel de son action vers l'Occident qu'il s'agissait de convaincre de conformer enfin sa conduite en Afrique à ses idéaux démocratiques. Ce ne fut pas un choix douloureux comme on l'a laissé croire. Notre écrivain est bien plus à l'aise en Europe que parmi nous. L'Europe lui donne une langue dont la « gentillesse » n'est plus à prouver, des concepts commodes,

---

1. Cependant, le problème demeure sur le plan strictement littéraire. Il existe en effet un certain nombre d'écrivains souvent hardis et féconds dont les œuvres apportent quelque chose de neuf, mais que l'obligation – de fait – de s'exprimer dans une langue européenne gêne sans doute considérablement. C'est le cas, par exemple, d'Amos Tutuola chez les anglophones et de Sembène Ousmane chez les francophones. Mais il s'agit d'une difficulté technique beaucoup plus que psychologique.

2. Cf. A. CÉSAIRE : « Notre devoir d'homme de culture, notre double devoir est là : il est de hâter la décolonisation, et il est au sein même du présent, de préparer la bonne décolonisation, une décolonisation sans séquelles » (*Présence Africaine,* n° XVI, oct.-nov. 1957, consacré à l'homme de culture noir et son peuple).

des moyens d'appréhender le réel africain et de l'interpréter selon un éclairage pour le moins européen »[1].

C'est ainsi que certains thèmes traités par les romanciers sont destinés uniquement à l'Europe et ne peuvent guère avoir de retentissement dans un public africain qui lit peu et pour lesquels ils sont étrangers. M. Mohamadou Kane en distingue cinq qui reviennent perpétuellement sous la plume des romanciers et nous suivrons de près son analyse. « Il faut citer d'abord, écrit-il, le thème de l'amour par-delà les barrières raciales, particulièrement apte à fouetter la curiosité de l'Européen insuffisamment informé sur l'Afrique »[2]. Ce thème en lui-même n'est guère intéressant car, comme il le constate lui-même, ce problème « touche en réalité une infime minorité »[3]. M. Kane dénonce ensuite l'exotisme et rappelle très justement la tendance de la plupart des romanciers à dépeindre « l'univers édénique africain que la pénétration européenne aurait perturbé »[4]. A ce thème est lié celui du « brassage des civilisations, du métissage culturel qu'un certain ton déclamatoire ne manque jamais de fausser »[5]. « En effet, ajoute-t-il, quoi de plus poignant que la douloureuse incertitude de l'intellectuel, de l'Africain qui mesure la valeur de ce qu'il abandonne mais ignore si ce qu'il adopte ne sera pas la cause d'une certaine forme de dépersonnalisation ; de plus cruel que les sollicitations dont il est l'objet du fait de sa situation entre deux mondes, dont l'un est par trop envahissant alors que l'autre se refuse à mourir ? »[6]. A ce thème s'apparente celui de l'angoisse, « écho manifeste, poursuit M. Kane, d'un autre thème littéraire qui connut une fortune particulière en Europe du fait des bouleversements occasionnés par la guerre. Car le public européen ne dédaigne pas, à l'occasion, de retrouver dans la littérature africaine la répercussion de ses propres préoccupations »[7]. M. Kane signale enfin un « autre thème lassant s'il en est, celui de la présentation de la situation coloniale de la vie des Européens à la colonie, c'est-à-dire de leur vie en communauté fermée. L'œuvre du romancier se veut alors simple miroir dans lequel l'Européen peut prendre conscience du problème qu'on l'invite à méditer »[8]. M. Kane conclut alors : « il est évident que bien souvent l'Africain n'existe dans l'univers qu'en tant que décor ou élément permettant de poser un problème donné. Ce serait aller trop loin que de soutenir qu'il n'est pas « concerné »,

---

1. Mohamadou KANE, *L'écrivain africain et son public*, in *Présence Africaine*, n° 58, 2ᵉ trimestre 1966, p. 14.
2. *Ibid.*, p. 16.
3. *Ibid.*, p. 16.
4. *Ibid.*, p. 16.
5. *Ibid.*, p. 16.
6. *Ibid.*, p. 16.
7. *Ibid.*, p. 16.
8. *Ibid.*, p. 16.

il l'est certes, mais indirectement. Point n'est besoin de poursuivre cette énumération. Rares sont les thèmes de la littérature africaine qui ne reflètent pas son orientation européenne. L'explication de cet état de choses est à chercher dans les conditions de sa naissance et de son épanouissement, et ces conditions n'ont subi que des changements sans grande portée. Pendant la période coloniale l'écrivain ne pouvait attendre de soutien que du côtédu public européen »[1]. Les contacts que peut avoir par exemple un enseignant avec le futur public lettré d'un État africain d'expression française ne peut que confirmer le point de vue de M. Kane : la littérature africaine, il faut bien l'avouer, ne suscite pas toujours l'intérêt qu'on pourrait s'attendre à trouver.

D'autre part, l'influence du public européen n'impose pas seulement à l'écrivain certains thèmes qui lui sont chers, elle fausse l'ensemble de la vie littéraire, jusqu'au contenu de ce qui devrait être spécifiquement africain et destiné, par là même, à satisfaire les aspirations profondes du public africain. Tout d'abord, les conditions économiques et sociales qui permettent l'exercice de la littérature n'existent pratiquement pas. Celle-ci est éditée et lue en France. Et, fait beaucoup plus grave, c'est la France qui décerne les prix littéraires (par exemple, Prix Charles Veillon à *L'enfant noir*) et détermine ainsi l'orientation européenne de cette littérature sans se soucier le moins du monde de la place réelle que ces œuvres seraient susceptibles d'occuper aux yeux d'un public africain.

De plus, cette littérature qui naît en Afrique mais vit en France, tourne le dos non seulement à la culture traditionnelle — cela va de soi — qui reste en grande partie inexplorée, mais aussi à la masse des clubs et des organisations culturelles populaires qui continuent aujourd'hui les anciennes classes d'âge et dont l'intérêt pour le théâtre et la littérature n'est plus à démontrer. Il y a là un milieu fécond et dynamique qu'on a tort de négliger systématiquement car, au fond, c'est le seul à « faire » une littérature répondant aux préoccupations d'un public africain.

Pourtant, l'écrivain africain a des lecteurs qui le font vivre, des Européens et quelques lettrés africains. On pourrait donc encore envisager une belle carrière à cette littérature hybride. Mais le malheur veut que personne, ni les Européens ni les Africains, ne consente à la considérer d'un regard véritablement critique. Dans ces conditions, comment peut-elle savoir ce qu'elle vaut ? Historiquement, la responsabilité de cet état de choses incombe d'abord à l'Europe. On a vu que les auteurs africains avaient décidé de s'adresser à l'Europe pour des raisons tactiques. Ce choix eut d'abord pour conséquence d'imposer,

---

1. Mohamadou KANE, *L'écrivain africain et son public*, in *Présence Africaine*, nº 58, 2ᵉ trimestre 1966, p. 16-17.

en particulier au roman, toute une série de thèmes chers au public européen. Cependant c'est surtout l'accueil de l'opinion européenne qui fut contestable. Les œuvres ne furent jamais jugées sous l'angle strictement littéraire[1] — le point de vue de Pierre-Henri Simon sur *L'aventure ambiguë* reste une exception — et l'enthousiasme systématique dont on fit preuve à leur égard ne faisait, la plupart du temps, que revêtir la forme la plus insidieuse du racisme : le paternalisme. Dès 1948, dans *Orphée noir,* Jean-Paul Sartre mettait pourtant en garde ses compatriotes contre ce danger, mais son avertissement ne fut guère suivi. Les encouragements généreux qu'on prodiguait à la jeune littérature africaine risquaient fort selon lui de ressembler à « cette indulgence charmée qu'ont les parents au jour de leur fête, pour le compliment de leurs enfants ». Du côté africain, mais pour d'autres raisons, on arrive au même résultat. On ne cherche nullement à développer dans le public qui lit l'esprit critique sans lequel aucun progrès n'est possible. Tout ce qui est produit est systématiquement encensé par la presse, la radio, l'État et les meilleurs se trouvent ainsi rabaissés au même niveau que les pires. On ne saurait mieux encourager la médiocrité. Les causes de cette situation s'expliquent sans aucun doute par la confusion extrême qui règne à propos de la notion de « négritude »[2] et d' « engagement » de l'écrivain. Les promoteurs de la négritude, L. S. Senghor et A. Césaire, voulaient montrer à leurs compatriotes que la « culture » n'était pas l'apanage des peuples occidentaux et que le monde noir offrait aux artistes africains une ample matière jusqu'alors inexploitée ou même méprisée. La négritude devait donner de l'univers africain une vision originale qui traduirait ce que L. S. Senghor appelait la « personnalité collective négro-africaine ». Comme le rappelle M. Robert Pageard, elle avait « pour principaux éléments la raison intuitive, le sentiment et la volonté de participation qui donnent naissance à une société et à une religion de communion, la prédominance de l'émotion dans l'activité humaine, la prédominance de l'image et du rythme dans les arts »[3]. Ainsi conçue, la négritude opposait délibérément la raison intuitive à la raison discursive des fils de Des-

---

1. N'a-t-on pas le droit d'être choqué par cette « présentation » qui figure sur la couverture du *Débrouillard :* « Ce livre, c'est sa vie, racontée par lui-même. Faye n'est pas seulement débrouillard, il n'est pas seulement champion de boxe ; il est encore écrivain. Il a un don merveilleux, car il dit les choses n'importe comment, à sa façon, et sa modeste plume, magiquement, fait vivre le Sénégal, la misère, la bonne humeur, la malice, le courage, la tendresse humaine, l'action bénéfique de la Providence.

» Faye est un Noir heureux. Un Noir de demain peut-être, sans révolte, qui s'avance joyeusement vers un monde amical ! »

2. Voir notre appendice II.
3. *Littérature négro-africaine*, p. 49, on se reportera également à L. S. SENGHOR, *Liberté I. Négritude et humanisme :* « L'Afrique noire — la civilisation négro-africaine », p. 70 et 199.

cartes et proclamait fièrement la supériorité de la première ; on retint surtout cet aspect et l'on eut souvent tendance à admirer une œuvre parce que, par ses thèmes, elle appartenait à la négritude, et l'on négligea le style, c'est-à-dire la forme qui traduit l'idée. Fait plus grave, on oublia que chez Senghor, la négritude était inséparable de la « civilisation de l'universel ». Ce dernier, maintes fois, a souligné qu'une œuvre africaine n'a de valeur que dans la mesure où elle est le fruit d'un dialogue avec les richesses étrangères et où elle est susceptible de répondre à l'attente de n'importe quel homme. Sinon on risque, comme trop de romans le font, de tomber dans l'ornière d'un régionalisme stérile ou de l'exotisme. Il ne suffit donc pas qu'un roman se passe en Afrique pour être animé par la négritude ni non plus qu'il exalte des valeurs « nègres » en se contentant de les nommer au lieu de les expliciter. Le deuxième problème qui paralyse la critique vient de l'interprétation que l'on donne à la notion d' « engagement ». La négritude, pour ne pas être un simple régionalisme, devait souligner de façon dynamique le devenir de l'Afrique. Elle était, par là même, inséparable de l'évolution politique qui, dans chaque pays, aboutit à l'indépendance et, par la suite, de la lutte pour le développement. Mais, là encore, le seul critère pour juger l'œuvre d'art a été le contenu idéologique de celle-ci, et même parfois la position politique du créateur. C'était oublier qu'on « ne fait pas toujours de bonne littérature avec de bons sentiments ».

Le roman a particulièrement souffert de cet état de choses né d'une double confusion et il en est résulté un manichéisme simpliste, qui subsiste encore de nos jours après l'indépendance, opposant l'éden du milieu traditionnel à l'enfer de la vie moderne, l'innocence du nègre à la corruption du Blanc. C'est ainsi que le romancier se sent, même aujourd'hui, obligé de situer son œuvre à l'époque coloniale. Ne pas le faire équivaut en quelque sorte à une trahison. On sait comment *L'enfant noir* fut éreinté, dans *Présence Africaine*, par Alexandre Biyidi[1] qui reprochait à Camara Laye d'avoir laissé de côté le problème colonial. « Il est des gens, écrit A. Biyidi, que son livre décevra. Et d'abord nous, bien sûr ; nous les jeunes Africains qui avons vécu la même aventure, à quelques variantes près, que Laye... Ensuite tous ceux qui ont lu le pathétique *Black-Boy* de R. Wright... Tous ceux, enfin, qui estiment que ce siècle impose à l'écrivain, comme un impératif catégorique, de se défendre contre la littérature gratuite, l'art pour l'art.

» Au vrai, ce qui est en cause ici, c'est beaucoup moins le livre que la mentalité dont il est l'écœurant produit... Laye se complaît dans l'anodin et surtout le pittoresque le plus facile — donc le plus payant —,

---

1. Alexandre Biyidi s'appelle en littérature Mongo Béti.

érige le poncif en procédé d'art. Malgré l'apparence, c'est une image stéréotypée — donc fausse — de l'Afrique et des Africains qu'il s'acharne à montrer : univers idyllique, optimisme de grands enfants, fêtes stupidement interminables, initiations de Carnaval, circoncisions, excisions, superstitions, oncles Mamadou dont l'inconscience n'a d'égale que leur irréalité. Il n'y a rien dans ce livre qu'un petit bourgeois européen n'ait déjà appris par la radio, un reportage de son quotidien habituel ou n'importe quel magazine de la chaîne « France-soir ».

» Par contre, Laye obstinément ferme les yeux sur les réalités les plus cruciales, celles justement qu'on s'est toujours gardé de révéler au public d'ici. Ce Guinéen, mon congénère, qui fut, à ce qu'il laisse entendre, un garçon fort vif, n'a-t-il donc rien vu d'autre qu'une Afrique paisible, belle, maternelle ? Est-il possible que pas une seule fois, Laye n'ait été témoin d'une seule petite exaction de l'administration coloniale ? »[1]. L'attitude de Biyidi est tout à fait caractéristique : il s'agit essentiellement d'un procès d'intention, en bonne et due forme. On remarquera d'autre part le refus du critique d'entrer dans les vues du romancier, de voir s'il a atteint le but qu'il se proposait : il y a des sujets tabou qu'on n'a pas le droit de traiter[2]. De même, Thomas Melone dans sa communication au colloque de Dakar, en 1963, estime qu'un romancier n'a pas à traiter le thème de l'angoisse de l'individu déchiré entre deux mondes. La voie qu'il faut suivre, selon lui, est bien étroite : « L'écrivain nègre, écrit-il, prophétise la cité de demain parce qu'il prend ses racines dans la cité d'aujourd'hui, avec ses taudis et ses temples somptueux, avec ses chants de joie et ses grondements orageux, avec ses danses de fête et ses manifestations de rue. Sans être photocopie de l'actualité, la littérature nègre sera cette image stylisée des mutations les plus profondes que traverse l'âme nègre dans son itinéraire d'abord du vouloir-être, puis du mieux-être. Elle est cette anxieuse interrogation posée au destin, une interrogation qui devient cri de révolte quand la « situation » a atteint l'apogée du drame.

» Et il est significatif que l'itinéraire n'aborde jamais le désespoir, n'aille jamais vers le suicide. Et c'est en ce sens qu'on peut dire que Samba Diallo « nature étrange en détresse de n'être pas deux » n'est décidément pas de la caste. « Quelquefois, pleurniche le héros de Cheikh Hamidou Kane, la métamorphose ne s'achève pas, elle nous installe

---

1. Alexandre BIYIDI, L'enfant noir, in Présence Africaine, n° 16 : « Trois écrivains noirs », p. 419.
2. On nous permettra ici de faire appel à notre expérience personnelle et de citer l'exemple de ce contradicteur qui, dans une conférence sur la littérature négro-africaine, s'en prenait violemment à Camara Laye qui dans Le regard du roi n'avait pas hésité à « dépeindre un Blanc malheureux » !

dans l'hybride et nous y laisse... Nous nous cachons remplis de honte... J'ai choisi l'itinéraire le plus susceptible de me perdre. » Va pour la bâtardise et les conflits inutiles qu'on engage pour les perdre. Qu'il se cache dans la solitude de sa honte celui qui n'a pu suivre le peuple nègre vers la grande découverte. D'autres auraient su choisir l'itinéraire le plus susceptible de les... sauver : Ras Desta, Chaka, Soni Ali, Keita, Delgrès... Le nègre séduit par les merveilles de l'Occident, tiraillé, déchiré, hybride, honteux bâtard, quelle mystification ! »[1]. Mal compris des Européens à qui, en fait, s'adresse surtout son œuvre, « dirigé » étroitement par les siens, l'écrivain africain voit ainsi remis en cause le principe même de la liberté créatrice de l'artiste. On ne saurait imaginer de plus tragique situation.

C. *Signes d'un changement.*

Celle-ci pourtant évolue et plusieurs indices nous révèlent que les romanciers commencent à prendre leurs distances. Les conditions matérielles de la littérature sont en train de changer. Ainsi une revue excellente *Abbia*, comparable à *Présence Africaine*, existe depuis plusieurs années au Cameroun. Cependant, sur ce plan, la situation est loin d'être aussi favorable qu'en Afrique anglophone où se multiplient les revues littéraires. L'édition africaine commence à voir le jour. Cette même revue *Abbia* associée avec les Éditions Clé de Yaoundé a publié à des prix modiques quelques romans parmi lesquels on a remarqué *Lettres de ma Cambuse*, de René Philombe et un recueil de nouvelles, *Le souffle des ancêtres* de J.-M. Nzouankeu. On observe d'autre part dans les comptes rendus que donnent les journaux sur les ouvrages d'auteurs africains un effort pour juger d'un point de vue strictement littéraire. Ainsi Paulin Joachim qui rédige chaque mois la chronique « les livres » dans *Bingo* sait à l'occasion se montrer sévère et a invité ses confrères européens à en faire autant, dans un article paru en août 1964 : « Méfions-nous des marchands de livres »[2]. De son côté,

---

1. *Négritude et problèmes littéraires*, p. 118.
2. Voici, par exemple, le ton employé par Paulin Joachim pour présenter *La plaie* de Malick Fall (*Bingo*, nov. 1967) : « Depuis le silence prématuré, incompréhensible et fort regrettable en tout cas du Camerounais Mongo Béti, l'écrivain noir africain le plus doué et le plus puissant que nous ayons connu jusqu'ici, le roman africain était entré dans une éclipse inquiétante qui n'en finissait plus de finir et qui laissait, pourquoi ne pas le dire, planer un doute sur la vitalité des lettres négro-africaines. Le dernier titre de Camara Laye (*Dramouss*) était plutôt décevant. Un talent vite essoufflé dont il ne faut plus désormais attendre grand-chose. Nous avons heureusement le souvenir de son premier livre, *L'enfant noir*, qui restera sans doute ce qu'il aura fait de mieux. Bien entendu, nous écartons systématiquement les sous-productions de romanciers de seconde zone qui ont occupé entre-temps ce passage à vide des lettres africaines.

» Mais voici la relève à portée de nos mains désormais. Elle nous vient du

Olympe Bhêly-Quénum, dans le même journal, dirige la rubrique « Parlons et écrivons correctement » donnant ainsi à la correction du style la place qui lui convient dans les jugements que le public peut porter sur un ouvrage.

Les romanciers d'autre part défendent de plus en plus leur liberté et renoncent aux schémas classiques qu'on voulait leur imposer. Nazi Boni, dans la préface de *Crépuscule des temps anciens*, insiste sur la nécessité d'étudier en profondeur — comme il l'a fait lui-même, d'ailleurs — le contenu réel de l'africanité : « Il est à peine temps de lancer, écrit-il, un dernier et pressant appel aux chercheurs afin qu'ils redoublent d'efforts dès maintenant, s'ils ne veulent pas laisser sombrer dans la nuit de l'ignorance certains trésors culturels de notre vieux continent. Plus tard, ce sera peut-être trop tard.

» Les empires coloniaux conquis au fil de l'épée s'écroulent parce que l'homme d'Outre-Mer a répondu une fois pour toutes à l'appel de la liberté. Ceux qui s'obstinent à vouloir l'asservir courent au suicide. Ballottée par des courants contraires, l'Afrique cherche sa voie dans les brumes et les tempêtes. Pourvu que radars et boussoles ne se détraquent pas. Son micro-nationalisme sectaire, indice d'une crise de croissance aiguë, s'oppose à son unité, démolit les apports positifs de l'Occident, déprécie la négritude, paralyse l'Africanité et constitue, à l'état de subconscient, le germe nocif d'une éventuelle résurgence de méthodes périmées. Et cependant, il faut qu'elle renaisse, s'adapte, se réalise. Ce n'est possible sans heurt que si elle surmonte son complexe d'aliénée, refoule ses rancœurs, se réconcilie avec elle-même, avec le reste du monde, singulièrement avec l'Europe. Les phénomènes sociaux démontrent tous les jours que le chemin de l'humanisation des rapports entre les peuples ne passe ni par la haine ni par la guerre. En cette heure de libération des pays subjugués, alors que tout doit être mis en œuvre pour bâtir de grands ensembles africains plutôt que de vitupérer, du haut des tribunes, la défunte domination coloniale, impose à nos élites l'impérieux devoir de s'atteler à la redécouverte de la vieille et authentique Afrique. Par la publication de *Crépuscule des temps anciens*, j'apporte ma modeste contribution à cette œuvre »[1]. La préface de Nazi Boni prend l'allure d'un véritable manifeste qui indique sans aucun esprit de contrainte des domaines dont l'exploration ne peut être que fructueuse pour les futurs romanciers. La littérature de combat contre le colonialisme, après Mongo Beti et F. Oyono,

---

Sénégal et c'est un sang qui parle beaucoup plus fort que celui de Sembène Ousmane, écrivain que nous aimons bien, dont nous avons parlé à plusieurs reprises dans ces colonnes mêmes, parce qu'il a beaucoup de mérite pour s'être fabriqué tout seul car, on ne le sait peut-être pas, Sembène Ousmane est un autodidacte.

» Il ne possède pas entièrement son métier, même s'il a le talent de raconter. »

[1]. *Crépuscule des temps anciens*, p. 17-18.

semble aujourd'hui bien difficile à continuer. Elle fut légitime et inspira des chefs-d'œuvre authentiques, mais elle a masqué l'africanité véritable dans la mesure où elle amenait les Africains à se définir uniquement par rapport aux Européens. Cet approfondissement de l'africanité auquel Nazi Boni invite ses confrères semble d'ailleurs être une des tendances majeures du roman africain de ces dernières années. C'est dans cet esprit que D. T. Niane a composé *Soundjata ou l'épopée mandingue* et Jean Ikellé-Matiba *Cette Afrique-là*. Ce dernier écrivait notamment dans son « avant-propos » : « De plus en plus le grand public s'intéresse à l'Afrique. Il cherche à la connaître, à la comprendre, à percer son mystère. Des livres, de valeur inégale, sont publiés et ont parfois un certain succès. Mais le lecteur commence à se lasser du folklore, de l'exotisme, du Nègre extraordinaire, sorte de héros romantique en marge de l'humanité. Il désire une information objective, des personnages intégrés qui discutent de plain-pied avec les autres hommes afin de leur apporter une certaine vision du monde. C'est un travail enivrant pour les générations nouvelles. L'auteur a-t-il répondu à ce désir ? C'est la question qu'il pose à son public. Mais il a essayé de présenter Mômha tel qu'il a vécu et qui représente *Cette Afrique-là* que nous ne reverrons jamais »[1]. En œuvrant dans ce sens, les romanciers trouvent déjà en Europe un écho qui n'a rien à voir avec l'accueil « généreux » de naguère. Deux livres capitaux viennent en effet de paraître qui jettent un jour nouveau sur le contenu de l'africanité et le parti qu'en peuvent bien tirer les romanciers. M. Roland Colin dans *Littérature africaine d'hier et de demain* montre que la littérature traditionnelle si mal connue constitue le fondement d'une nouvelle renaissance nègre. *Muntu*, de M. Janheinz Jahn, va encore plus loin et souligne que cette renaissance est déjà faite et que la littérature néo-africaine est restée fidèle à elle-même dans les créations récentes qu'elle nous a données.

D'autres romanciers, au lieu de se plonger dans la découverte de l'africanité, préfèrent au contraire analyser la situation actuelle de l'afrique, après l'indépendance. Les deux attitudes ne s'opposent en fait qu'en apparence car, dans les deux cas, on retrouve ce même souci d'étudier un monde en lui-même, tel qu'il est, sans cette fausse honte qu'entraîne l'aliénation. Parmi ceux-ci, il faut compter Charles Nokan et surtout Sembène Ousmane. Dans *Voltaïque* et *Véhi-Ciosane* (suivi du *Mandat*), Sembène Ousmane décrit certains aspects de la nouvelle société africaine d'aujourd'hui. Le regard qu'il jette est impitoyable et il n'est pas exagéré de dire qu'il a créé une véritable littérature de la lucidité. Il s'en explique d'ailleurs lui-même en tête de *Véhi-Ciosane*, nouvelle où l'auteur aborde le problème délicat de l'inceste : « Pendant

---

1. *Cette Afrique-là*, p. 13.

des années, je me suis entretenu avec vous : Africains. Les raisons, vos raisons ne m'ont pas convaincu. Certes, vous étiez d'accord sur ce point : « n'écris pas cette histoire ». Vous argumentiez que ce serait jeter l'opprobre sur *nous, la race noire*. Mieux, ajoutiez-vous, les détracteurs de la *civilisation négro-africaine* allaient s'en emparer, et..., et..., et..., pour nous jeter l'opprobre.

» De peur d'être pédant, je me refuse d'analyser vos réactions devant ce cas. Mais quand cesserons-nous de recevoir, d'approuver nos conduites, non en fonction de *notre moi d'homme*, mais de la couleur des autres. Certes la solidarité raciale existe, mais elle est suggestive. Cela est si vrai que la solidarité raciale n'a pas empêché les assassinats, les détentions illégales, les emprisonnements politiques des dynasties régnantes d'aujourd'hui... La débilité de *l'homme de chez nous* — qu'on nomme notre *africanité*, notre *négritude* — et qui, au lieu de favoriser l'assujettissement de la nature par les sciences, maintient l'oppression, développe la vénalité, le népotisme, la gabegie et ces infirmités par lesquelles on tente de couvrir les bas instincts de l'homme — que l'un de nous le crie avant de mourir — est la grande tare de notre époque. Et l'on pousse la surenchère de la spéculation intellectuelle sur notre société contemporaine, charnière de notre passé et de notre avenir, sur la sociabilité de nos pères, nos arrière-grands-parents »[1]. Ainsi, comme on le voit, le renouveau du roman, pour Sembène Ousmane, est lié à la suppression du mythe de l'innocence nègre. On peut contester l'idée qu'il nous présente de la négritude, mais on doit reconnaître que sa volonté de libérer le romancier africain du regard dont le domine trop souvent l'Européen apparaît comme une absolue nécessité pour le développement ultérieur du genre romanesque.

---

1. *Véhi-Ciosane*, p. 15-16.

CONCLUSION

Les bouleversements qui ont affecté l'Afrique depuis la conquête jusqu'à l'indépendance ont créé une situation nouvelle modifiant considérablement les formes de la collectivité et les rapports qui existaient traditionnellement entre celle-ci et l'individu. Dans quelle mesure et de quelle manière le roman d'expression française se fait l'écho de cet état de choses ?

Nous constatons d'abord que la collectivité est largement évoquée. Qu'il s'agisse d'œuvres retraçant, comme *Doguicimi* ou *Soundjata*, d'anciennes sociétés aujourd'hui disparues, ou d'œuvres décrivant le milieu traditionnel tel qu'il subsiste encore de nos jours, les détails précis ne manquent pas et l'information, souvent très documentée, rejoint parfois les données de la sociologie et de l'ethnologie. Cependant les détails concernant le milieu traditionnel d'aujourd'hui sont généralement épars, comme si le romancier n'avait pas l'intention d'étudier celui-ci à fond. Le tableau qu'il en fait se limite au village et plus souvent à la cellule familiale. On ne trouve pas, par exemple, le problème du conflit entre deux collectivités. Les romans entièrement consacrés à la peinture du milieu traditionnel restent extrêmement rares et *L'enfant noir* est une exception. Les romanciers s'intéressent au contraire davantage à la description des formes nouvelles prises par la collectivité à la suite du contact avec l'Europe. Les livres de Malonga, Mongo Béti, F. Oyono, Aké Loba, B. Matip, constituent des documents de valeur sur l'oppression politique et culturelle, les conditions de vie urbaine en Afrique et en Europe, et d'une façon plus générale sur la fin de la période coloniale.

La peinture de l'individu est dans l'ensemble sommaire. Certes, des problèmes essentiels ont été soulignés. Ainsi, *L'enfant noir* rappelle fort justement que le milieu traditionnel n'était pas une égalisation de tous par la base, mais qu'il donnait à chacun un rôle spécifique et permettait même, dans certains cas, une promotion physique et morale de l'individu. Mongo Béti, dans *Mission terminée*, évoque les difficultés de l'individu voulant échapper au groupe et Cheikh Hamidou Kane, dans *L'aventure ambiguë*, met en scène un personnage que le conflit des cultures amène jusqu'au désespoir. Dans quelques œuvres, l'angoisse d'être noir cède le pas à l'angoisse inhérente à la condition humaine : angoisse de se sentir étranger à Dieu — c'est l'autre aspect du drame de Samba Diallo —, nostalgie de la pureté et de l'unité, dans *Le regard du roi* de Camara Laye, sentiment tragique devant l'absurdité de la création tout entière, dans *Un piège sans fin* d'Olympe Bhêly-Quénum. Pourtant, d'une façon générale, les romanciers que nous avons étudiés éprouvent une grande difficulté à individualiser leurs personnages. Ceux-ci sont surtout les porte-parole d'une génération-témoin et l'introspection à laquelle le romantisme nous a habitués leur est étrangère. L'emprise du groupe subsiste donc largement comme le montre cette perpétuelle crainte de se singulariser.

Sur le plan de l'expression, nous constatons que les romanciers usent — souvent avec art — de moyens variés mais classiques. La recherche de nouvelles formes d'écriture ne semble pas pour le moment les préoccuper. La peinture de la collectivité est assez riche et variée et le pittoresque est obtenu essentiellement par l'emploi des termes tirés des langues vernaculaires et de notions « africaines ». Au contraire l'évocation de l'individu et surtout l'expression du « moi » des personnages embarrassent sérieusement le romancier.

D'autre part, l'ensemble de la production romanesque, malgré de nombreuses réussites, laisse apparaître un malaise. Ce malaise n'est pas lié, comme on pourrait s'y attendre, à la maîtrise de la forme mais à la difficulté qu'éprouve le romancier à objectiver le réel et à créer une œuvre distincte de lui-même. La différence entre les œuvres de qualité et les autres passe par là. Ce malaise provient des conditions dans laquelle est née et se développe la littérature africaine. Si le problème de la langue ne constitue pas un obstacle majeur, selon L. S. Senghor et Janheinz Jahn, en revanche la situation du romancier présente de graves difficultés. Amené, par opportunisme, à s'adresser surtout à l'Europe, ce dernier a dû consacrer une partie de ses œuvres à des thèmes « européens ». De plus l'accueil qu'il a reçu de la part des Européens, souvent trop enthousiates, a nui à la qualité strictement littéraire. De leur côté, les intellectuels africains ont exigé du romancier un « bon esprit » et lui ont souvent indiqué les sujets qu'il devait obligatoirement traiter. Il en résulte une distorsion fâcheuse qui apparaît par exemple très nettement à propos de la notion de négritude. Tous les romanciers l'exaltent — excepté Sembène Ousmane — mais un petit nombre seulement approfondit la notion ; chez les autres elle a souvent l'allure d'une clause de style, d'un ornement obligé du roman africain, et, de ce fait, l'examen attentif des œuvres révèle que l'Occident continue d'exercer un grand prestige sur les personnages — et les romanciers.

Ainsi, à travers l'étude du thème de l'individu et de la collectivité dans le roman, c'est l'avenir même du genre que nous sommes amené à considérer. La situation paradoxale du romancier qui n'a pas de public et qui n'est pas libre est-elle appelée à durer ? Nous ne le pensons pas. L'indépendance a coïncidé avec un ralentissement de la production romanesque. D'abord parce que beaucoup d'écrivains ont été appelés à des fonctions politiques ; ensuite parce que la disparition du colonisateur a amené le romancier à repenser le problème de la spécificité africaine et à la définir non plus par rapport à l'Europe mais par rapport à elle-même. A certains signes, on s'aperçoit que cette méditation commence à porter ses fruits. Les romanciers se tournent désormais dans deux grandes directions, apparemment opposées mais qui révèlent chez eux le désir identique de considérer la réalité africaine en elle-même, séparée de ce perpétuel arrière-plan européen qui entachait tant d'œuvres. Qu'il s'agisse du réalisme lucide de Sembène Ousmane ou de l'approfondissement de l'africanité véritable, encore à peine ébauché, les deux tentatives sont seules capables de donner aux romanciers le public qui jusqu'ici leur faisait défaut. D'autre part les premiers indices d'une vie littéraire authentiquement africaine doivent permettre au roman africain d'expression française de poursuivre son évolution et d'envisager l'avenir avec optimisme.

APPENDICE I

PEUT-ON ENVISAGER UNE SOCIOLOGIE DU ROMAN AFRICAIN D'EXPRESSION FRANÇAISE ?

Nous nous sommes efforcé, tout au long de cette étude, d'examiner les œuvres romanesques essentiellement sur le plan thématique en soulignant, chaque fois qu'il était nécessaire, les liens qui rattachent l'œuvre à son créateur, ainsi que tout ce que nous pouvons apprendre de la psychologie de ce dernier par la seule lecture des romans. Cependant, si nécessaire qu'elle soit, l'étude thématique ne suffit pas à rendre compte de tous les aspects de la réalité littéraire africaine et nous voudrions ici faire certaines remarques destinées à montrer ce que pourrait apporter une approche sociologique du roman africain d'expression française.

On a longtemps cru que la sociologie de la littérature devait s'attacher à montrer que le contenu des œuvres était un reflet de la société au sein de laquelle elles avaient été conçues, « constatation pour laquelle, écrit M. Lucien Goldmann, il n'est vraiment pas besoin d'être sociologue »[1]. Quoi de plus banal en effet que de rappeler que *Les caractères* constituent un tableau de la société du XVIIe siècle français et *la Comédie humaine*, un témoignage unique sur le XIXe siècle ? Conçue de la sorte, la sociologie du roman ne peut rien nous apporter ni sur la société, ni sur le phénomène littéraire. D'abord parce que la vision du romancier n'est jamais systématique comme l'est celle du savant ; ensuite parce que cette façon de procéder laisse au romancier toute sa liberté créatrice et exclut en fin de compte le problème des rapports *nécessaires* qui existent entre la société et la genèse de telle ou telle œuvre précise. C'est pourquoi nous n'avons pas un seul instant envisagé pour le roman africain une approche de ce genre, qui, sur le plan méthodologique, eût été sans valeur.

Ce n'est qu'à une époque récente, essentiellement grâce aux travaux de M. Lucien Goldmann[2] au Centre de Sociologie de la Littéra-

---

[1]. Lucien GOLDMANN, *Pour une sociologie du roman*, Paris, Gallimard, 1964 (Collection « Idées »).
[2]. Voir en particulier *Le Dieu caché*, Paris, Gallimard, 1955 et *Pour une sociologie du roman*.

ture de l'Institut de Sociologie de l'Université de Bruxelles, que l'on a pu jeter les bases d'une véritable sociologie de la littérature. Nous rappellerons brièvement les principaux résultats auxquels est parvenu M. Goldmann. Pour ce dernier, la sociologie de la littérature doit s'efforcer de montrer que « les véritables sujets de la création culturelle sont les groupes sociaux et non pas les individus isolés »[1]. La pression du groupe social, M. Goldmann la découvre dans l'homologie évidente qu'il constate entre la structure de l'œuvre et celle de la société qui lui a donné naissance. Évoquant la sociologie qui se limitait au contenu des œuvres, M. Goldmann écrit : « Toutes ces analyses portaient sur la relation de certains éléments du *contenu* de la littérature romanesque et de l'existence d'une réalité sociale qu'ils reflétaient presque sans transposition ou à l'aide d'une transposition plus ou moins tranparente.

» Or le tout premier problème qu'aurait dû aborder une sociologie du roman est celui de la relation entre la forme romanesque elle-même et la structure du milieu social à l'intérieur duquel elle s'est développée, c'est-à-dire du roman contemporain comme genre littéraire et de la société individualiste moderne »[2].

La comparaison que M. Goldmann établit entre la structure de la société européenne moderne et celle du roman illustre cette hypothèse. Le règne de l'argent qui caractérise les temps modernes en Europe a eu, selon lui, pour conséquence de substituer des « valeurs d'échange » à des « valeurs d'usage » : « La relation naturelle, saine, des hommes et des biens, écrit-il, est en effet celle où la production est consciemment régie par la consommation à venir, par les qualités concrètes des objets, par leur valeur d'usage.

» Or, ce qui caractérise la production pour le marché, c'est au contraire l'élimination de cette relation de la conscience des hommes, sa réduction à l'implicite grâce à la médiation de la nouvelle réalité économique créée par cette forme de production : la valeur d'échange »[3]. Mais le processus n'est pas accepté par tous et « quelques individus — les créateurs dans tous les domaines — restent orientés essentiellement vers les valeurs d'usage et, par cela même, se situent en marge de la société et deviennent des *individus problématiques* »[4]. Cet état de choses apparaît très nettement dans le roman où le héros est toujours « un personnage *problématique* dont la recherche dégradée, et, par là même, inauthentique, de valeurs authentiques dans un monde de conformisme et de convention, constitue le contenu de ce nouveau genre littéraire que les écrivains ont créé dans la société individualiste et qu'on a appelé « roman »[5]. Le rôle du romancier se ramène en définitive à pousser à un haut degré de cohérence, une conscience collective, une « vision du monde » latente dans une société ou l'un de ses groupes et qu'un individu isolé n'aurait pu élaborer tout seul. La structure du

1. *Pour une sociologie du roman*, p. 16.
2. *Ibid.*, p. 34 et 35.
3. *Ibid.*, p. 36.
4. *Ibid.*, p. 38.
5. *Ibid.*, p. 25.

processus reste la même mais le contenu imaginaire inventé par l'individu-auteur peut être fort différent du contenu de la conscience collective. Constatant ensuite que les catégories mentales n'existent guère dans le groupe que sous forme de tendances vagues, M. Goldmann définit ainsi les rapports qui existent entre l'écrivain et le groupe social : « Le grand écrivain est précisément l'individu exceptionnel qui réussit à créer dans un certain domaine, celui de l'œuvre littéraire (ou picturale, conceptuelle, musicale, etc.) un univers imaginaire, cohérent ou presque rigoureusement cohérent, dont la structure correspond à celle vers laquelle tend l'ensemble du groupe ; quant à l'œuvre, elle est en outre d'autant plus médiocre ou plus importante que sa structure s'éloigne ou se rapproche de la cohérence rigoureuse »[1]. Ainsi l'œuvre n'est plus un « reflet » de la conscience collective comme le croyait la sociologie traditionnelle de la littérature, mais un des « éléments constitutifs » de cette conscience collective, « celui qui permet aux membres du groupe de prendre conscience de ce qu'ils pensaient, sentaient et faisaient sans en savoir objectivement la signification »[2].

Le grand mérite de M. Lucien Goldmann est d'avoir souligné l'inutilité de la « sociologie des contenus » et jeté les bases d'une nouvelle science de la littérature s'efforçant enfin de rendre à l'écrivain et à la société ce qui leur appartient respectivement. Peut-on envisager dans ces conditions des recherches comparables sur la littérature africaine d'expression française et particulièrement le roman ? Il n'y a pas de raison a priori que l'hypothèse initiale de M. Goldamnn (« les véritables sujets de la création culturelle sont les groupes sociaux et non pas les individus isolés ») ne se vérifie pas à propos d'un genre littéraire africain. Il faudrait seulement tenir compte de certains problèmes particuliers, venant de la situation complexe dans laquelle s'exerce la littérature en Afrique.

Ainsi, dans l'état actuel de nos connaissances sur l'Afrique d'aujourd'hui, il n'est pas encore possible de déterminer avec certitude les liens pouvant exister entre l'individu-auteur et le groupe. Pour le faire, il faudrait tout d'abord chercher à cerner, dans ses grandes lignes, la conscience collective du groupe. Cela suppose de vastes enquêtes menées parmi les classes les plus représentatives de la société — lycéens, fonctionnaires, bourgeoisie, ouvriers, paysans — de façon à définir, avec suffisamment de précision, les composantes de l'univers culturel des Africains d'aujourd'hui face aux grands problèmes de leurs temps. Cette information est absolument nécessaire. Tant que nous ne la posséderons pas nous en serons réduits au seul témoignage des écrivains eux-mêmes. Autrement dit, nous ne pourrons pas savoir si l'écrivain achève de donner sa forme à une vision préexistante dans le groupe ou si, au contraire, il propose au public quelque chose que celui-ci ignorait auparavant.

Ceci fait, il resterait alors à souligner l'homologie possible entre

1. *Pour une sociologie du roman*, p. 346.
2. *Ibid.*, p. 346.

la structure de l'œuvre et la structure de la société qui l'a vue naître. Nous verrions alors surgir toute une série de difficultés venant de ce que les auteurs africains emploient une langue et des formes littéraires européennes. Le roman européen devait son existence à certaines caractéristiques de la société européenne. Or en Afrique, le roman est un genre transplanté et la société bourgeoise de type européen n'a jamais existé. Il faudrait donc essayer de voir s'il n'est pas permis de déceler, derrière ce cadre européen, une autre structure en liaison étroite avec la forme de la société actuelle. Il s'agirait ainsi d'un travail comparable à celui qu'a fait Janheinz Jahn dans *Muntu* pour retrouver la spécificité africaine, mais portant plus spécialement sur le présent.

La tâche, on le voit, est considérable et il n'est pas pensable qu'elle puisse être menée par des chercheurs isolés. A ce stade en effet, le travail d'équipe s'impose. Ces remarques permettent déjà d'entrevoir quelques-uns des buts que doit poursuivre désormais la recherche littéraire en Afrique noire. Complétant logiquement l'histoire littéraire et l'étude systématique de ses thèmes, la sociologie de la littérature éclairera sans doute d'un jour singulier la réalité culturelle de l'Afrique d'aujourd'hui et nous donnera l'occasion d'appréhender enfin l'unité fondamentale d'un monde apparemment insaisissable.

APPENDICE II

A PROPOS DE LA NÉGRITUDE

Nous avons souligné à plusieurs reprises au cours de cette étude combien les romanciers africains d'expression française étaient peu explicites sur la notion de négritude. Cette réserve se comprendra mieux si l'on songe à la confusion qui règne autour de cette notion et aux multiples problèmes qui se posent dès qu'on tente d'en donner une définition satisfaisante. La tâche en effet n'est pas facile car, bien souvent, les auteurs ne retiennent qu'un aspect de la question. Cependant, un certain nombre de remarques nécessaires nous permettra de démêler le problème, ou du moins d'y voir un peu plus clair. Comme l'a montré L.-V. Thomas[1], l'examen des principales définitions « permet d'apercevoir une *négritude-essence* exprimant la spécificité nègre sur le plan psychologique, biologique ou culturel et une *négritude-prise de position*, attitude de réhabilitation ou de combat, les deux points de vue pouvant d'ailleurs coexister chez le même auteur »[2]. Cette distinction nous paraît capitale, dans la mesure où elle peut expliquer le malaise que nous constatons chez les romanciers face au problème de la négritude. Tout se passe en effet comme si ces derniers ressentaient le besoin de réhabiliter une race opprimée et d'affirmer ses droits mais redoutaient en même temps de s'enfermer dans un déterminisme racial qui aurait alors l'immuabilité d'un destin. Autrement dit, la négritude est-elle l'ensemble des traits caractéristiques du monde noir promu au rang de valeurs hors desquelles il ne peut y avoir de salut ou se ramène-t-elle en définitive à certaines particularités dues aux milieux physique et humain et constatée par une analyse objective ? Dans le deuxième cas, la négritude serait une « contingence » et son acceptation ne pourrait se justifier que par les nécessités de l'action. La fidélité à cette « négritude-contingence » pourrait alors

---

[1]. *Panorama de la négritude, essai de synthèse psycho-sociologique à propos de quelques textes*, in *Actes du colloque de 1963*. Nous emprunterons à M. L.-V. THOMAS, l'essentiel de son analyse qui constitue à ce jour l'étude la plus documentée sur cette question.
[2]. *Ibid.*, p. 49.

être temporaire et se rapprocherait des nationalismes européens du XIXᵉ siècle. D'autre part le domaine de la négritude est difficile à définir car celle-ci touche au culturel, au politique et à l'économique. De plus la manière dont elle s'exprime n'a pas partout la même acuité et M. L.-V. Thomas rappelle qu'il existe une « négritude implicite, plus sentie que comprise, plus vécue que réfléchie et qui caractériserait les masses africaines »[1] et une « négritude explicite », « œuvre des poètes d'abord (Césaire, L. S. Senghor), puis des intellectuels et des politiciens ensuite »[2].

Après avoir vu quelques-unes des dimensions du problème, il nous faut rappeler les formes que peut revêtir la négritude sur le plan littéraire et idéologique et nous suivrons de près l'analyse et la terminologie de M. L.-V. Thomas. Celui-ci distingue trois « aspects principaux : une « négritude douloureuse » illustrés notamment dans le roman par C. H. Kane, une « négritude agressive » beaucoup plus nette dans la poésie que dans le roman, une « négritude sereine » par exemple chez Camara Laye (et d'une façon générale chaque fois qu'un romancier évoque son enfance) et enfin une « négritude triomphante » qui fait du Noir, comme l'a montré Cheikh Anta Diop, le héros civilisateur par excellence. Cette analyse spatiale, M. L.-V. Thomas la complète par une analyse temporelle de la négritude. Le devenir de celle-ci peut se concevoir selon lui de deux façons. S'appuyant sur la thèse de Th. Malone, M. L.-V. Thomas rappelle d'abord que la négritude peut se présenter dans un premier temps comme une « révolution humaniste » « dont la tâche principale consiste à dépasser l'intellectualisme et à revendiquer une expression africaine de l'universel »[3]. Le deuxième temps sera celui de l'angoisse, de la douleur et de la lutte ; enfin vient le moment pour la négritude de devenir « majeure ». « La négritude devient alors une ascèse qui permettra, selon les termes mêmes de Th. Melone, la « purification de l'individu qui se dispose à prendre le repas sacré à l'autel des génies ».

La deuxième manière d'écrire l'histoire de la négritude est la suivante : M. L.-V. Thomas distingue d'abord « un stade de pré-négritude » caractérisé par le « réveil de la conscience tribale », comme le montre par exemple l'action et l'œuvre de J. Kenyatta ; puis une « négritude proprement dite » qui « déborde le cadre de la tribu ou de la nation, surtout depuis que l'indépendance est acquise, pour s'étendre à toute l'Afrique noire, d'où l' ' Africanitude ' qui essaie, non sans difficultés, de réaliser l'Unité africaine »[4] ; enfin un dernier stade marqué par les préoccupations concernant la « civilisation de l'universel » qu'il faut alors songer à bâtir.

Après avoir décrit les « aspects » et les « moments » du phénomène, M. L.-V. Thomas examine les fondements de la négritude et étudie successivement les rapports qui peuvent exister entre la négritude et

---

1. *Panorama de la négritude...*, *op. cit.*, p. 51.
2. *Ibid.*, p. 51.
3. *Ibid.*, p. 67 et 68.
4. *Ibid.*, p. 67 et 68.

la race, le milieu géographique, la personnalité africaine, la culture. Ce dernier point est important puisqu'il permet à M. L.-V. Thomas de rappeler que la culture en un sens est un produit de l'état social mais qu'on ne saurait pour autant la réduire au rang d'épiphénomène puisque l'idéologie est toujours susceptible d'influer sur la structure sociale. La négritude en définitive ne s'explique entièrement ni par la race, ni par les conditions géographiques, ni par *la* personnalité africaine, ni par la culture d'un continent car on ne peut parler de spécificité absolue dans ces domaines — ce qui ne veut pas dire qu'il faille exagérer le diversité des traits du monde africain et nier une certaine unité qui se dégage de l'ensemble du continent.

A ce stade de son analyse, M. L.-V. Thomas en vient alors à penser que la négritude est avant tout une réaction pour accéder à la désaliénation de l'individu et à l'indépendance politique des groupes sociaux. Tournée vers l'avenir, la négritude apparaît surtout comme un mythe et une double mystique : la mystique de l'untié rappelle la fonction pragmatique du mythe ; la mystique de la spécificité propose une nouvelle échelle des valeurs.

Le terme, comme on voit, est difficile à définir et cela explique la réserve des romanciers gênés devant un fait dont il leur était difficile d'avoir une vue d'ensemble et dont ils n'ont retenu, généralement, que quelques aspects. Ces remarques permettront de mieux comprendre l'exacte portée des œuvres qui, comme *L'enfant noir*, exaltent la « négritude sereine » ou qui, dans leurs dernières pages, annoncent l'époque de la « négritude triomphante ». A l'inverse, on saisira mieux les raisons avancées par certains pour justifier leur opposition à la négritude, qu'il s'agisse de Sembène Ousmane qui s'appuie sur une vision marxiste du monde ou de Samba Diallo qui se rend compte, au terme de son itinéraire, que la négritude n'est qu'une idole prestigieuse qui ne saurait diminuer la distance qui le sépare de Dieu, sa seule préoccupation.

BIBLIOGRAPHIE

A. — ROMANS ET NOUVELLES

Ananou (David)
    1955 *Le fils du fétiche*, Paris, N.E.L.

Atta Koffi (Raphaël)
    1961 *Les dernières paroles de Koimé*, Paris, Debresse.

Ba (Amadou Hampaté) et Carnaire (Marcel)
    1957 *Tierno Bokar, le sage de Biandiagara*, Paris, Présence Africaine.

Badian (Seydou)
    1963 *Sous l'orage (Kany)*, Paris, Présence Africaine. (1re éd., Presses Universelles, Avignon, 1957.)

Béti (Mongo)
    1953 *Sans haine et sans amour*, in *Présence Africaine*, n° 14, 4e trimestre 1953, p. 213-220 (sous le pseudonyme Eza Boto).
    1954 *Ville cruelle*, Éditions Africaines (sous le pseudonyme Eza Boto).
    1956 *Le pauvre Christ de Bomba*, Paris, Laffont.
    1957 *Mission terminée*, Paris, Corrêa.
    1958 *Le roi miraculé*, Paris, Corrêa.

Bhêly-Quénum (Olympe)
    1960 *Un piège sans fin*, Paris, Stock.
    1961 *Liaison d'un été*, in *Bingo*, Dakar, n° 103, août 1961, p. 10-12 et 87-91.
    1965 *Le chant du lac*, Paris, Présence Africaine.

Boni (Nazi)
    1962 *Crépuscule des temps anciens, chronique du Bwamu*, Paris, Présence Africaine.

Cissé (Émile)
    1958 *Faralako, roman d'un petit village africain*, chez l'auteur.

Couchoro (Félix)
    1940 *Amour de féticheuse*, Ouidah (Dahomey), Imp. Mme d'Almeida.
    1950 *Drame d'amour à Anecho*, Ouidah (Dahomey), même éditeur.
    1963 *L'héritage, cette peste (Les secrets d'Éléonore)*, Lomé (Togo), Imp. Éditogo.
    s.d. *L'esclave*.

Dadié (Bernard)
    1956 *Climbié*, Paris, Seghers.
    1959 *Un nègre à Paris*, Paris, Présence Africaine.
    1964 *Patron de New York*, Paris, Présence Africaine.

DEMBÉLÉ (Sidiki)
   1960   *Les inutiles*, Dakar, Éditions Bingo.
DIA (Cheikh)
   1964   *Avant Liberté I*, Paris, Éditions du Scorpion.
DIALLO (Bakary)
   1926   *Force – Bonté*, Paris, Rieder.
FAYE (N. G. M.)
   1964   *Le débrouillard*, Paris, Gallimard.
GOLOGO (Mamadou)
   1963   *Le rescapé de l'Éthylos*, Paris, Présence Africaine.
HAZOUMÉ (Paul)
   1938   *Doguicimi*, Paris, Larose.
IKELLÉ-MATIBA (Jean)
   1963   *Cette Afrique-là*, Paris, Présence Africaine.
ISSA (Ibrahim)
   1959   *Grandes eaux noires*, Paris, Éditions du Scorpion.
KANE (Cheikh Hamidou)
   1961   *L'aventure ambiguë*, Paris, Julliard.
KONÉ (Maurice)
   1963   *Le jeune homme de Bouaké*, Paris, Grassin.
LAYE (Camara)
   1953   *L'enfant noir*, Paris, Plon.
   1954   *Le regard du roi*, Paris, Plon.
   1966   *Dramouss*, Paris, Plon.
LOANGO (Dominique)
   1959   *La cité flamboyante*, Paris, Éditions du Scorpion.
LOBA (Aké)
   1960   *Kocoumbo, l'étudiant noir*, Paris, Flammarion.
MALONGA (Jean)
   1954   *Cœur d'aryenne*, Paris, Présence Africaine.
   1954   *La légende de M'Pfoumou Ma Mazono*, Paris, Éditions Africaines.
MATIP (Benjamin)
   1956   *Afrique, nous t'ignorons*, Paris, Lacoste.
MENSAH (Toussaint Viderot)
   1960   *Pour toi, Nègre, mon frère... « un homme comme les autres »*, Monte-Carlo, Éditions Regain.
N'DJOK (Kindengue)
   1958   *Kel'Lam, Fils d'Afrique*, Paris, Éditions Alsatia.
NIANE (Djibril Tamsir)
   1960   *Soundjata ou l'épopée mandingue*, Paris, Présence Africaine.
NOKAN (Charles)
   1962   *Le soleil noir point*, Paris, Présence Africaine.
   1966   *Violent était le vent*, Paris, Présence Africaine.
NZOUANKEU (J.-M.)
   1965   *Le souffle des ancêtres*, Abbia-Clé.
OUANE (Ibrahima Mamadou)
   1955   *Fâdimâtâ, la princesse du désert*, Avignon, Les Presses Universelles.

1961 *Les filles de la reine Cléopâtre*, Paris, Les paragraphes littéraires de Paris.

Ousmane (Sembène)
1956 *Le docker noir*, Paris, Nouvelles éditions Debresse.
1957 *O Pays, mon beau peuple !* Paris, Amiot-Dumont.
1960 *Les bouts de bois de Dieu*, Paris, Le livre contemporain.
1962 *Voltaïque*, Paris, Présence Africaine.
1964 *L'Harmattan*, Paris, Présence Africaine.
1966 *Véhi-Ciosane*, Paris, Présence Africaine.

Oussou-Essui (Denis)
1965 *Vers de nouveaux horizons*, Éditions du Scorpion, Paris.

Owono (Joseph)
1959 *Tante Bella, roman d'aujourd'hui et de demain*, Yaoundé (Cameroun), Librairie au Messager.

Oyono (Ferdinand)
1956 *Une vie de boy*, Paris, Julliard.
1956 *Le vieux nègre et la médaille*, Paris, Julliard.
1960 *Chemin d'Europe*, Paris, Julliard.

Philombe (René)
1964 *Lettres de ma cambuse*, Abbia-Clé.

Sadji (Abdoulaye)
1946 *Tounka*, in *Paris-Dakar*, nouvelle, 3 septembre au 12 octobre 1946.
1954 *Nini, Mulâtresse du Sénégal*, Paris, Présence Africaine.
1958 *Maïmouna*, Paris, Présence Africaine.

Sissoko (Fily Dabo)
1956 *La passion de Djimé*, Paris, Éditions de la Tour du Guet.
1962 *La savane rouge*, Avignon, Les Presses Universelles.

Socé (Ousmane)
1935 *Karim, roman sénégalais*, Paris, N.E.L.
1937 *Mirages de Paris*, N.E.L.

B. — ŒUVRES CRITIQUES

1. Anthologies

Éliet (Édouard)
1965 *Panorama de la littérature négro-africaine (1921-1962)*, Paris, Présence Africaine.

Juleat-Fouda (Basile), Juliot (Henry de) et Lagrave (Roger)
1961 *Littérature camerounaise*, Cannes.

Justin (Andrée)
1962 *Anthologie africaine des écrivains noirs de langue française*, Paris, Institut Pédagogique Africain.

Reygnault (Christiane)
1962 *Anthologie africaine et malgache*, Seghers (en coll. avec Langston Hugues).

Sainville (Léonard)
1962 *Anthologie des romanciers et conteurs négro-africains*, Paris, Présence Africaine (t. I et II).

SENGHOR (Léopold-Sédar)
    1948   *Anthologie de la nouvelle poésie nègre et malgache*. Préface de J.-P. Sartre, Paris, P.U.F.

2. ÉTUDES ET ARTICLES

BALANDIER (Georges)
    1950   *La littérature noire de langue française dans le monde noir*, cahier 8-9 de *Présence Africaine*.
    1955   *Littératures de l'Afrique et des Amériques noires*, Paris, Gallimard, Encyclopédie de la Pléiade, t. I.
    1962   *L'Afrique ambiguë*, Paris, Union générale des Éditeurs.

BATTESTINI (Monique)
    1965   *L'angoisse chez les romanciers africains*, in *Actes du Colloque sur la littérature africaine d'expression française, Dakar, 26-29 mars 1963*. Publication de la Faculté des Lettres et Sciences Humaines, n° 14, Dakar, 1965.

BATTESTINI (Simon)
    1965   *L'humour chez F. Oyono*, ibid.

BÉART (Charles)
    1963   *Recherche des éléments d'une sociologie des peuples africains à partir de leurs jeux*, Paris, Présence Africaine.

BLANZAT (Jean)
    1954   *Camara Laye*, in *Le Figaro Littéraire*, 6 mars 1954.

BIYIDI (Alexandre)
    1957   *L'enfant noir*, in *Présence Africaine*, n° 16.

BOL (Victor P.)
    1965   *Les formes du roman africain*, in *Actes du Colloque de 1963*, Dakar.

CALAME-GRIAULE (Geneviève)
    1967   *La littérature orale*, in *Colloque sur « Fonction et signification de l'art nègre dans la vie du peuple et pour le peuple »*, Présence Africaine.

CÉSAIRE (Aimé)
    1957   *L'homme de culture noir et son peuple*, in *Présence Africaine*, n° 16, oct.-nov. 1967.

COLIN (Roland)
    1957   *Les contes noirs de l'Ouest africain*, Présence Africaine.
    1965   *Littérature africaine d'hier et de demain*, A.D.E.C.

DIARRA (Simon)
    1966   *Problèmes d'adaptation des travailleurs africains noirs en France*, in *Psychopathologie africaine*, vol II, n° 1.

DOBZINSKI (Charles)
    1956   *Le pauvre Christ de Bomba*, in *Les Lettres françaises*, 26 mai 1956.

ÉLIET (Édouard)
    1965   *Panorama de la littérature négro-africaine*, Paris, Présence Africaine.

FOUET (Francis)
    1965   *Le thème de l'amour chez les romanciers négro-africains d'expression française*, in *Actes du Colloque de 1963*, Dakar.

GORÉ (Jeanne-Lydie)
    1965   *Le thème de la solitude dans l'aventure ambiguë de Cheikh Hamidou Kane*, ibid.

JAHN (Janheinz)
    1961   *Muntu, l'homme africain et la culture néo-africaine*, Paris, Le Seuil.
    1965   *Rythmes et styles dans la poésie africaine*, in *Actes du Colloque de 1963*, Dakar.
    1965   *Die neoafrikanische Literatur, Gesamtbibliographie von den Anfängen bis zur Gegenwart*, Düsseldorf-Köln.

JOACHIM (Paulin)
    1964   *Méfions-nous des marchands de livres*, in *Bingo*, août 1964.

JULEAT-FOUDA (Basile)
    1967   *De la littérature orale négro-africaine*, in *Colloque sur l'art nègre*, Présence Africaine.

KANE (Mohamadou)
    1966   *L'écrivain africain et son public*, in *Présence Africaine*, n° 58, 2e trimestre 1966, p. 8 à 31.

KESTELOOT (Lylian)
    1963   *Les écrivains noirs de langue française : naissance d'une littérature*, Institut de Sociologie de l'Université libre de Bruxelles.

LAYE (Camara)
    1955   *Réponse à l'étonnement des lecteurs français devant le mystère semé naturellement au quotidien de l'enfant noir*, in *Actualité littéraire*, n° 6.
    1965   *L'âme de l'Afrique dans sa partie guinéenne*, in *Actes du Colloque de 1963*, Dakar.

MAQUET (Jacques)
    1967   *Africanité traditionnelle et moderne*, Paris, Présence Africaine.

MAYER (Jean)
    1967   *Le roman en Afrique noire francophone*, in *Annales de l'Université d'Abidjan*, I.

MBITI (John)
    1967   *La littérature orale africaine*, in *Colloque sur l'art nègre*, Paris, Présence Africaine.

MELONE (Thomas)
    1967   *De la négritude dans la littérature négro-africaine*, Paris, Présence Africaine.
    1965   *Le thème de la négritude et ses problèmes littéraires. Point de vue d'un Africain*, in *Actes du Colloque de 1963*, Dakar.

MEMMI (Albert)
    1966   *Portrait du colonisé*, précédé du *Portrait du colonisateur*. Préface de J.-P. Sartre, Paris, Jean-Jacques Pauvert.

MERCIER (Roger)
    1965   *La littérature d'expression française en Afrique noire. Préliminaires d'une analyse*, in *Actes du Colloque de 1963*, Dakar.
    1963   *Bibliographie africaine et malgache. Écrivains noirs d'expression française*, in *Revue de littérature comparée*, janv.-mars 1963.

PAGEARD (Robert)
    1966   *Littérature négro-africaine*, Paris, Le Livre africain.

SARTRE (Jean-Paul)
    1948   *Orphée noir*. Préface de l'*Anthologie de la nouvelle poésie nègre et malgache de L. S. Senghor*, Paris, P.U.F.

Senghor (L. S.)
    1939   *Ce que l'homme noir apporte à l'homme de couleur*, in *Présences*, Plon. Réédité in *Liberté I*, p. 22 à 99.
    1956   *Éthiopiques. Postface*, Paris, Le Seuil.
    1964   *D'Amadou Koumba à Birago Diop*, in *Liberté I*, *Négritude et humanisme*, Paris, Le Seuil.
    1964   *L'Afrique noire. La civilisation négro-africaine*, in *Liberté I*, p. 70 à 99.

Simon (Pierre-Henri)
    1961   *L'aventure ambiguë de C. H. Kane*, in *Le Monde*, 26 juillet 1961.

Thomas (Louis-V.)
    1965   *Panorama de la négritude. Essai de synthèse psycho-sociologique*, in *Actes du Colloque de 1963*, Dakar.
    s.d.   *Généralités sur l'ethnologie négro-africaine*, cours ronéotypé, Dakar.

Wauthier (Claude)
    1964   *L'Afrique des Africains. Inventaire de la négritude*, Paris, Le Seuil

INDEX DES NOMS D'AUTEURS CITÉS

L'index renvoie à tous les passages où il est question de l'auteur même si le nom de ce dernier n'est pas expressément cité.

Ananou (David) : 12, 13, 14, 17, 20, 21, 27, 28, 37, 47, 49, 72, 80, 88, 106, 113.
Atta Koffi (Raphaël) : 42, 48, 51, 63, 72, 90, 106, 113, 123, **126, 127**.

Badian (Seydou) : 12, 22, 23, 32, 43, 46, 47, 62, 74, 82, 83, 84, 85, 88, 90, 113, 124, **125, 126**, 127.
Battestini (Monique et Simon) : 17, 91, 95, 119.
Béart (Charles) : 73.
Béti (Mongo) : 16, 25, 26, 28, 30, 31, 32, 33, 34, 35, 36, 38, 39, 40, 41, 43, 44, 45, 46, 49, 50, 51, 60, 69, 70, 71, 73, 74, **77, 78**, 79, **80, 81**, 83, 84, 88, 90, 114, 115, **120**, 122, **136, 137**, 138, 139, 143.
Bhély-Quenum (Olympe) : 34, 35, 49, 63, **65**, 67, 70, 71, 84, 93, **95, 96, 110, 111**, 115, 139, 144.
Biyidi (Alexandre) : voir Béti (Mongo) et cf. p. 136.
Blanzat (Jean) : 87.
Bol (Victor-P.) : **100, 101**, 106.
Boni (Nazi) : 9, 10, 21, 30, 59, 61, 62, **65, 66**, 67, 68, 75, 101, **102, 103**, 127, 139.
Boto (Eza) : voir Béti (Mongo) et cf. p. 136 et 154.

Césaire (Aimé) : 86, 132, 135, 152.
Cissé (Émile) : 15, 16, 21, 23, 28, 62, 67, 74, **85, 86**.
Colin (Roland) : 140.

Dadié (Bernard) : 37, 42, 45, 47, 48, 49, 51, 79, 80, 90, 103, 106, 113, 114, **120, 121**, 123, 126.
Dia (Cheikh) : 37, 49, 90, 122.

Diallo (Bakary) : 99.
Diarra (Simon) : 55.
Diop (Birago) : 103.
Dobzinski (Charles) : 39.

Fall (Malick) : 138.
Faye (N. G. M.) : 37, 47, 53, 73, 80, 85, **111, 112**, 115, 126, 135.
Fouet (Francis) : 29, **63, 64**.

Goldmann (Lucien) : **147 à 150**.
Gologo (Mamadou) : 12, 13, 15, 16, 20, 26, 88, 90, 111, 112.
Goré (Jeanne-Lydie) : 93, 94.

Hazoumé (Paul) : 7, 8, 9, 10, 21, 57, 65, 99, **101, 102**, 143.

Ikellé-Matiba (Jean) : 12, 13, 14, 22, **24**, 32, 33, 34, 35, 42, 45, 57, 69, 70, 80, 81, 84, 90, 111, 112, 122, 140.
Issa (Ibrahim) : 119.

Jahn (Janheinz) : 5, 109, **130, 131**, 140, 144, 150.
Joachim (Paulin) : 138.

Kane (Cheikh Hamidou) : 23, 54, **82, 83**, 91 à 94, 96, 115, **116**, 123, **137, 138**, 143, 144.
Kane (Mohamadou) : 132 à 134.
Kesteloot (Lylian) : 5.

Laye (Camara) : 15, 16, 17, 18, 19, 21, 22, 23, 26, 27, 32, 35, 42, 51, **57, 58**, 59, 82, 84, **86, 87**, 90, 93, **94, 95**, 96, 106 à **110**, 111, 112, 115, 122, 134, **136, 137**, 138, 143, 144.
Loba (Aké) : 12, 47, **54**, 56, 80, 88, 115, 123, 143.

Malonga (Jean) : 9, 35, 40, 51, 80, 83, **89 à 90**, 103, 113, 122, 123, 124, 125, 143.
Maquet (Jacques) : **67 à 69**, 81.
Maran (René) : 31.

11

Matip (Benjamin) : 34, 36, 38, 39, 40, 41, 72, 103, 106, 113, 114, 123, 143.
Melone (Thomas) : 107, **137**, **138**.
Memmi (Albert) : 84, 131.
Mercier (Roger) : 17, 100.

Nadeau (Maurice) : 49.
Niane (Djibril Tamsir) : **10**, **103** à **105**, 140, 143.
Nokan (Charles) : 100, **117**, **118**, 140.
Nzouankeu (J. M.) : 138.

Ousmane (Sembène) : 34, 35, 36, 48, 52, 54, 70, 76, 77, 80, 85, **116**, **117**, **118**, **119**, 132, 139, **140**, **141**, 144, 145.
Oussou-Essui (Denis) : 15, 18, 21, 26, 27, 32, 35, 42, 44, 46, 49, 50, 51, 52, 66, 67, 69, **70**, **71**, 72, 75, 79, 83, 88, 113, 114, 122, 129.
Owono (Joseph) : 113, 114.
Oyono (Ferdinand) : 33, 34, 35, 36, 40, 44, 49, 69, 70, 76, 77, 79, 80, 84, **119** à **120**, 122, 139, 143.

Pageard (Robert) : 5, 100, 103, 108, **117**, **118**, 127. 135.
Philombe (René) : 138.

Reichenbach (François) : 37.

Sadji (Abdoulaye) : 15, 29, 45, 52, 60, 58, 70, 77, 79, 84, 113, 125, 126, 128.
Sartre (Jean-Paul) : 135.
Séïd (Joseph) : 103.
Senghor (Léopold Sédar) : 87, 103, **130**, 135, 144, 152.
Sissoko (Fily Daby) : 100, 118.
Socé (Ousmane) : 12, 23, 29, 53, 54, 60, 61, 68, 79, 83, 84, 85, 86, **87**, **88**, 90, 99, 113, 114, 118, **123**, **124**, **125**, **126**, **127**, **128**, **129**.

Thomas (Louis-Vincent) : 11, 13, 14, **151** à **153**.
Tutuola (Amos) : 132.

Wauthier (Claude) : 5.
Wright (Richard) : 136.

TABLE DES MATIÈRES

Introduction 5

Chapitre Premier. — Les différentes formes de la collectivité d'après le roman 7
   I. *Les collectivités du passé* 7
   II. *La peinture de la collectivité traditionnelle d'aujourd'hui* . 11
      A) La naissance. 11
      B) L'éducation 14
      C) Le mariage 23
   III. *L'effritement du milieu traditionnel* 30
   IV. *Les nouvelles formes de la collectivité d'après le roman* . . 33
      A) L'administrateur et les chefs de villages – Climat policier – Tracasseries – Vie difficile 33
      B) L'oppression culturelle : la religion et l'école . . . 37
      C) La réaction de la collectivité 43
        L'état d'esprit – La vie urbaine – Le cadre extérieur – Le règne de l'argent – La famille – Les associations dérivées de la classe d'âge.
      D) La vie des collectivités africaines en Europe . . . 53

Chapitre II.— L'individu dans le roman africain. . . . 57
   I. *L'individu dans le milieu traditionnel.* 57
      Spécificité du rôle social – Le public – Le Samba Linguère – L'amour, facteur d'individualisation – Germes de la réflexion morale – L'individu ayant recours à la magie – Rapports de l'individu et du groupe.
   II. *Les personnages individualisés par un apport extérieur* . 69
      Le chef de village – Le soldat – Le voyageur – L'instruction européenne – Le chrétien.

III. *L'individu à la recherche de lui-même* 73
    A) L'insatisfaction devant le milieu traditionnel . . . 73
        Contestation de l'autorité des anciens – La révolte silencieuse – Les décisions pratiques – Les personnages de Sembène Ousmane – La personnalité de l'individu absorbée par le principe même de la vie collective – Le monde moderne est un « ailleurs prestigieux » : bovarysme des personnages.

    B) L'angoisse d'être nègre 80
        Solitude raciale – Passage du temps mythique au temps historique : *L'enfant noir* et la signification du thème de l'enfance – Hantise d'être un renégat – L'amour entre un Noir et une Européenne – La résignation et l'aliénation – L'assimilation des valeurs européennes – autre solution : la négritude exclusive ou «sereine» – Le «métissage culturel» et la synthèse des valeurs sont préférés à la négritude – Les différentes formes de cette attitude – Cette solution cache en fait un profond pessimisme comme le révèle la structure de la plupart des romans.

    C) Le problème de la liberté 91
        Il n'y a peut-être pas de remède à l'angoisse – Le conflit des cultures dans *L'aventure ambiguë* – L'angoisse se situe aussi dans des perspectives métaphysiques : drame religieux de Samba Diallo, démarche mystique de Clarence, absurdité du monde dépeint par O. Bhêly-Quénum.

Chapitre III. — Le romancier et ses problèmes 99
  I. *Problèmes techniques* 99
    A) Intérêt d'un classement des romans 99
    B) La description de la collectivité 101
      • Les collectivités du passé.
        – Reconstitutions historiques inspirées d'œuvres européennes.
        – Le récit historique traditionnel.
      • La peinture du milieu traditionnel d'aujourd'hui .
        – Liée à l'évocation de l'enfance d'un personnage.
        – La peinture du milieu traditionnel peut constituer le sujet même de tout un roman.
      • La peinture du monde actuel . . . .
        – Formes spontanées d'expression (le récit à la 1re personne – le récit à la 3e personne – le dialogue).
        – Formes plus élaborées d'écriture et de composition romanesque (C. H. Kane – Sembène Ousmane – Charles Nokan).
        – Les vertus du conte (légendes, mythes, poésie dans le roman – L'humour : Mongo Béti, Oyono, B. Dadié).

    C) L'expression du « moi » des personnages 121
        – Les cadres classiques.
        – Procédés stylistiques particuliers : la phrase-émotion, la phrase-analyse, la litanie.
        – Le lexique.
        – Prestige de la langue et de la littérature européennes.

II. *La situation du romancier africain d'expression française* 129
   A) Le problème de la langue 129
   B) Le problème du public 132
   C) Signes d'un changement 138

Conclusion 143
Appendice I 147
Appendice II 151
Bibliographie 154
Index 160

ACHEVÉ D'IMPRIMER SUR LES
PRESSES DE L'IMPRIMERIE
DARANTIERE A DIJON, LE
DOUZE NOVEMBRE MCMLXIX

16-303